fantasmes sexuels

Collection dirigée par Jacques Laurin

Données de catalogage avant publication (Canada)

Hayman, Suzie
    Fantasmes sexuels

    (Le sexe en liberté)
    Traduction de: Sexual fantasies.
    1. Fantasmes sexuels. I. Titre. II. Collection: Sexe en liberté.

HQ31.H3914   2002   306.77   C2002-940595-5

Traduction: Jacques Desfossés
Photos: Andrew G. Hobbs
Vêtements et accessoires: Ann Summers Ltd,
Paradiso Bodyworks, Janet Reger, Zeitgeist Ltd

DISTRIBUTEURS EXCLUSIFS:

- Pour le Canada et les États-Unis:
MESSAGERIES ADP*
955, rue Amherst
Montréal, Québec
H2L 3K4
Tél.: (514) 523-1182
Télécopieur: (514) 939-0406
* Filiale de Sogides ltée

- Pour la France et les autres pays:
VIVENDI UNIVERSAL PUBLISHING SERVICES
Immeuble Paryseine, 3, Allée de la Seine
94854 Ivry Cedex
Tél.: 01 49 59 11 89/91
Télécopieur: 01 49 59 11 96
Commandes: Tél.: 02 38 32 71 00
               Télécopieur: 02 38 32 71 28

- Pour la Suisse:
VIVENDI UNIVERSAL PUBLISHING SERVICES SUISSE
Case postale 69 – 1701 Fribourg – Suisse
Tél.: (41–26) 460-80-60
Télécopieur: (41–26) 460-80-68
Internet: www.havas.ch
Email: office@havas.ch
DISTRIBUTION: OLF SA
Z.I. 3, Corminbœuf
Case postale 1061
CH-1701 FRIBOURG
Commandes: Tél.: (41–26) 467-53-33
               Télécopieur: (41–26) 467-54-66

- Pour la Belgique et le Luxembourg:
VIVENDI UNIVERSAL PUBLISHING SERVICES BENELUX
Boulevard de l'Europe 117
B-1301 Wavre
Tél.: (010) 42-03-20
Télécopieur: (010) 41-20-24
http://www.vups.be
Email: info@vups.be

Gouvernement du Québec – Programme de crédit d'impôt pour l'édition de livres – Gestion SODEC.

L'Éditeur bénéficie du soutien de la Société de développement des entreprises culturelles du Québec pour son programme d'édition.

Nous reconnaissons l'aide financière du gouvernement du Canada par l'entremise du Programme d'aide au développement de l'industrie de l'édition (PADIÉ) pour nos activités d'édition.

Dépôt légal: 2ᵉ trimestre 2002

ISBN 2-8911-7029-6

fantasmes

Découvrez un nouvel univers de plaisirs

sexuels

Suzie Hayman

LE SEXE EN LIBERTÉ

Les Presses Libres

TABLE DES MATIÈRES

INTRODUCTION

Le sexe doit être avant tout une chose plaisante. Bien sûr, il y a la procréation, la perpétuation de l'espèce, mais la plupart du temps, ces considérations ne traversent même pas notre esprit lorsque nous faisons l'amour.

Par le geste sexuel, nous cherchons non seulement à manifester les sentiments que nous éprouvons pour l'être aimé, mais aussi à nous donner du bon temps. Ce n'est pas banaliser le sexe que d'admettre que plaisir, jouissance, volupté et délassement en sont les principaux moteurs. Cela dit, deux barrières se dressent entre nous et la félicité sexuelle. Notre propre ignorance en est une – ignorance des choses du sexe en général, et plus particulièrement de ce qui nous excite et de ce qui excite notre partenaire. La seconde barrière est constituée de nos inhibitions, de la timidité que nous ressentons par rapport à l'acte sexuel. Ces fâcheuses tendances nous font aborder avec circonspection notre propre sexualité, nous empêchent de faire toutes ces choses excitantes qu'au fond nous aimerions faire.

La vocation de cet ouvrage est de vous amener à découvrir de nouveaux horizons sexuels. Dans cet univers neuf, vous acquerrez des connaissances propres à vous donner confiance en vous-même, ce qui en retour fera de vous un meilleur amant et une meilleure amante plus épanouis sur les plans sensuel et sexuel. La plupart d'entre nous désirons une vie sexuelle imbue de passion et de romantisme. Nous voulons aussi une relation excitante susceptible d'éveiller notre imagination et de combler nos plus secrets désirs. Nous cherchons un partenaire capable de nous étonner et de nous stimuler, tant au lit que dans les autres aspects de notre vie. En chacun de nous sommeille une amoureuse ou un amant passionné qui aspire à vivre une sexualité débridée, libérée de ses contraintes. Mais, bien souvent, cet amant hésite à se manifester, soit parce qu'il se soucie de ce que les gens penseront de ses pratiques sexuelles, soit parce qu'il craint d'offenser son partenaire et de lui déplaire. Parfois, la personne désireuse de diversifier sa vie sexuelle ne saura tout simplement pas comment le faire. Avant de nous engager dans de nouvelles pratiques, il est essentiel de sentir que nous sommes en droit de tenter ces expériences; nous devons également sentir que les choses que nous nous proposons de faire sont normales et acceptables. Et puis, nous ne dédaignerions pas quelques conseils pratiques, quelques suggestions quant aux possibilités qui s'offrent à nous.

Cet ouvrage a été écrit précisément dans le but d'offrir de tels conseils et suggestions. Il regorge d'idées qui sauront vous orienter dès aujourd'hui sur la voie d'une sexualité renouvelée. Que vous en soyez aux premiers balbutiements d'un amour neuf et donc soucieux de satisfaire votre partenaire; que vous soyez depuis longtemps un couple et que vous cherchez à retrouver la flamme initiale; jeune ou vieux, hétéro ou gay, amant chevronné ou inexpérimenté, vous trouverez dans les pages de ce livre de quoi donner du piquant à votre vie amoureuse.

Partager un bon livre au lit peut être un agréable prélude à l'amour.

Chapitre premier

VERS UNE VIE SEXUELLE
AVENTUREUSE

Devenir un aventurier du sexe, un pionnier de la chambre à coucher, un grand explorateur de voluptés sensuelles ne nécessite aucun talent spécial. Il s'agit en vérité d'une quête à la portée de tous. Lorsque nous pensons aux grands amants romantiques, nous évoquons des personnages tels que Don Juan, Casanova ou Catherine de Russie, des tenants de techniques sexuelles impressionnantes raffinées au fil de partenaires multiples. Mais point n'est besoin d'arborer un appétit sexuel

gargantuesque ni d'avoir couché avec un grand nombre de partenaires pour devenir un amant ou une amante émérite. Dans le domaine du sexe, c'est la qualité qui compte. On peut multiplier les conquêtes sans être un bon amant pour autant – surtout si l'on s'imagine que ce qui plaît à une personne aura nécessairement un semblable effet sur l'autre.

Avec un peu d'imagination et de bonne volonté, vous aussi pourrez vivre, fin tragique en moins, une histoire d'amour comme celle d'Antoine et Cléopâtre ou de Roméo et

Juliette. Il y a deux facteurs clés qui détermineront votre capacité à prendre et à donner du plaisir durant l'acte sexuel : le premier est la connaissance que vous avez de votre propre corps ; le second est l'ouverture d'esprit dont vous ferez preuve ainsi que votre sensibilité face aux réactions de votre partenaire. Il faut toutefois savoir se montrer patient. Ce n'est pas en une seule nuit, en une seule séance entre les draps que l'on apprend tout du sexe. L'exploration des sens est une sphère sans limite, un périple à jamais

inachevé regorgeant de nouveautés et de découvertes. À l'occasion de ce périple, ce livre constituera à la fois votre point de départ et votre guide routier. Il saura vous encourager à cheminer de façon continue sur la voie de l'extase sensuelle et vous permettra de découvrir votre propre personnalité sexuelle. Prendre du plaisir, exciter et satisfaire un partenaire sont des choses apprises et non innées. En premier lieu, il est nécessaire de faire l'expérience de son propre corps, de découvrir les moyens par lesquels on peut se donner soi-même du plaisir. Cela ne revient pas à dire qu'il faille pour cela connaître la physiologie humaine dans ses moindres détails. La majorité des gens qui m'écrivent s'inquiètent tantôt de leurs propres facultés amoureuses, tantôt du savoir-faire de leur partenaire. Ces personnes recherchent une réponse définitive quant à leur vie sexuelle; en général, elles s'attendent à ce que je leur transmette quelque savoir mythique et secret qui leur conférera un pouvoir sexuel fabuleux. En vérité, l'effet de telle ou telle technique variera énormément d'une personne à l'autre. Le véritable secret de la sexualité est qu'il incombe à chacun de découvrir les choses qui lui plairont tout en respectant son partenaire. Et il ne faut surtout pas que l'on voie cela comme

les impératifs d'une société sexuellement répressive qui nous minent par ses tabous et gâchent notre plaisir. Fort heureusement, l'être humain parvient, par la communication, à se dépouiller des pudeurs factices et inutiles que lui impose son époque, sa culture. Voilà pourquoi il est si important que vous communiquiez avec votre partenaire, que vous discutiez de vos goûts, de vos désirs et de vos besoins. Votre vie sexuelle n'en sera que plus intense et intime. La majorité des sexologues s'entendent sur le fait que seulement 10 % de toute excitation, de tout plaisir de nature sexuelle proviennent du corps lui-même; le reste est de l'ordre de l'imagination. Nos attentes, l'anticipation de la jouissance, nos émotions, tout cela régit l'essentiel de notre sensualité. Bref, il suffit de développer le côté cérébral de la chose pour aussitôt jouir d'une vie sexuelle plus stimulante et dynamique. En partageant vos fantasmes avec l'être aimé, en inventant avec lui des jeux qui viendront égayer vos ébats, vous vous ouvrirez à un univers sexuel riche et diversifié. En cela, ce livre s'avérera pour vous un précieux allié: il vous permettra de libérer toute la puissance de votre imagination et d'élargir ainsi le champ de vos fantasmes. Au bout du compte, la satisfaction que vous

> *Le véritable secret de la sexualité est qu'il incombe à chacun de découvrir les choses qui lui plairont tout en respectant son partenaire.*

une corvée, comme une tâche pénible dont on doit s'acquitter, bon gré mal gré! Au contraire, votre quête de plénitude sexuelle doit être source de constants émerveillements, de joyeuses découvertes. N'attendez pas que quelqu'un vous dise exactement ce que vous devez faire, car, en matière de sexe, nul n'est mieux qualifié que vous pour décider de ce qui est bon ou non pour vous. Cela dit, il est intéressant que vous ayez accès à de nouvelles idées qui orienteront votre périple dans une nouvelle direction. Il est également important que, grâce à l'intervention et aux conseils d'autres personnes, vous obteniez l'assurance que vos expérimentations sont saines et recevables. La plupart d'entre nous s'avèrent étonnamment inventifs quand vient le temps de tenter de nouvelles expériences sexuelles. Bien souvent, ce sont

retirerez de vos rapports sexuels s'en trouvera grandement accrue.

✦ DES BOUGIES AU *PIERCING*

Il y a plusieurs façons de créer une ambiance sexuelle. Alors que certains auront recours à quelques bougies et à un éclairage tamisé, d'autres, plus aventureux, opteront pour le *piercing* ou encore se glisseront dans de suggestifs et moulants vêtements de cuir ou de caoutchouc. D'autres encore s'adonneront à des jeux de domination et utiliseront des accessoires tels que chaînes, cravaches et martinets. Bien qu'il ne soit pas nécessaire de tâter de telles pratiques pour jouir d'une vie sexuelle réussie, il est néanmoins bon de savoir que beaucoup de gens font ces choses et que de telles activités n'ont rien de pervers ni d'anormal. En fait, il

Une bonne communication est vitale à toute relation amoureuse.

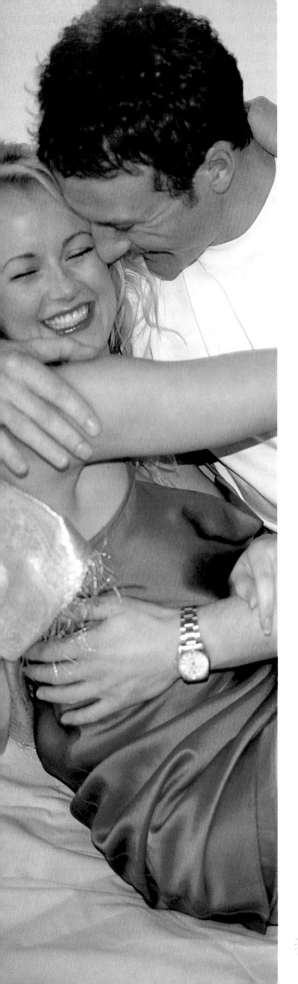

est tout naturel de vouloir expérimenter sur le plan sexuel. Pour la plupart des gens, la grande question est: jusqu'où faut-il aller? Et: comment en parler à notre partenaire? Bien souvent, nous craignons que nos fantasmes les plus secrets inspirent horreur et dégoût à l'être aimé. Nous nous imaginons couvert de ridicule une fois nos désirs intimes déballés. Pourtant, nous aspirons tous à une vie sexuelle stimulante. Le problème est que nous ne savons par où commencer. Comment donc amorcer une communication franche et ouverte sur le sujet avec notre partenaire? L'un des principaux objectifs du présent ouvrage est de répondre à ces questions afin que vous puissiez éventuellement exprimer sans gêne et sans détour vos fantasmes à votre partenaire.

Sachez toutefois qu'il faut éviter autant que possible d'introduire trop brusquement quelque nouvelle pratique sexuelle que ce soit dans le répertoire de votre couple. Ici, une approche progressive est de loin préférable. Il s'agit avant tout d'installer un climat, une volonté d'exploration qui vous permettra peu à peu d'ouvrir le dialogue et de manifester non seulement vos besoins et désirs, mais aussi vos réserves et hantises. Étape par étape, nous vous guiderons vers une expression libre et dynamique de votre imagination sensuelle et sexuelle. Lorsque vous aurez une idée de l'étendue des comportements permis au sein d'une relation amoureuse, vous serez à même de faire plein usage de votre inventivité. À cet effet, nous vous proposerons dans les chapitres qui suivent différents scénarios aptes à élargir vos horizons sexuels. Actuellement, vos explorations sexuelles se limitent peut-être à des massages et des éclairages tamisés. Peut-être irez-vous parfois jusqu'à tenter quelque nouvelle position. N'ayez crainte, car bientôt vous entrerez dans un univers sexuel aux possibilités illimitées, plein de jeux excitants et d'expériences exaltantes.

Comme nous l'avons mentionné, l'exploration sexuelle commence nécessairement par la connaissance de soi. Mieux vous vous connaîtrez sexuellement, et plus il deviendra aisé pour vous de transmettre cette connaissance à l'être aimé. Trop de gens sont insatisfaits sexuellement; c'est là une triste réalité. En effet, parmi la myriade de difficultés auxquelles un couple devra faire face au cours de son existence, beaucoup sont d'ordre sexuel. Il y a plusieurs raisons à cela, la principale étant que nous ne savons trop comment donner du plaisir et comment en recevoir. Car si le désir sexuel relève de l'instinct, la manière d'assouvir pleinement ce désir, elle, est affaire d'apprentissage. Chaque semaine, des hommes et des femmes m'écrivent, chacun d'eux cherchant désespérément à savoir comment tirer davantage de plaisir de ses rapports sexuels. Beaucoup d'entre eux croient que je détiens quelque recette miracle, un ordre précis de gestes mystifiants et magiques qui leur garantira une satisfaction sexuelle foudroyante. Si tant de gens ont des problèmes à ce niveau, c'est justement parce qu'il n'existe pas de recette miracle. Il n'y a pas de bonne ou de mauvaise façon de faire l'amour. Bien sûr, je pourrais vous donner des tas d'idées, avancer des centaines de suggestions quant à la façon d'exciter et de satisfaire votre partenaire ; au bout du compte, il n'y a que vous qui pouvez déterminer de ce qui, sexuellement, est bon pour votre couple. Le meilleur conseil que je puisse vous donner est de plonger, de tenter le coup, puis de juger vous-même, après expérimentation, du bonheur et de la validité de vos nouvelles explorations sexuelles.

Mieux vous vous connaîtrez sexuellement, et plus il deviendra aisé pour vous de transmettre cette connaissance à l'être aimé.

❧ JE SUIS TIMIDE, MAIS JE ME SOIGNE

La gêne et les inhibitions sont des obstacles majeurs dans le développement de notre potentiel sexuel. Dès la naissance, nous commençons à explorer notre propre corps afin de poser les frontières de notre univers. Le toucher nous aide à faire la différence entre ce qui nous constitue et ce qui fait partie du monde extérieur. Et très tôt nous découvrons que ces attouchements, ces caresses et pincements que nous nous prodiguons nous procurent du plaisir. Certains parents encouragent de telles explorations sensorielles, mais dans la majorité des cas, on grondera les enfants qui persistent dans ce type de comportement. Par ces interdits, on nous enseigne que l'exploration des sens et que notre corps lui-même sont des choses vilaines et perverses. Pourtant, il est naturel pour un enfant d'âge préscolaire d'agir ainsi. Et il ne faut pas craindre que ces attou-

chements perdurent, car une fois que l'enfant aura commencé à se mêler à ses pairs dans ce contexte plus social qu'est l'école, il délaissera généralement ces pratiques. À l'âge de la puberté, toutes ces expériences tactiles de l'enfance refont surface et prennent un tout autre sens. C'est en effet à l'adolescence que nous renouons avec l'exploration sensuelle, d'abord seul, puis en compagnie d'une autre personne. À cette étape de notre vie, des changements hormonaux radicaux s'opèrent en nous et nous poussent à explorer notre propre sexualité. Malheureusement, le plaisir que procurent ces expérimentations est plus souvent qu'autrement entremêlé d'appréhension et de culpabilité. Peu désireux de se faire prendre en flagrant délit, les garçons, à cet âge, se masturbent furtivement, hâtivement. Les problèmes d'éjaculation précoce remontent généralement à l'adolescence et ont pour origine cette crainte d'être découvert. Les adolescentes qui pratiquent la masturbation, quant à elle, hésiteront bien souvent à communiquer à leur partenaire leurs découvertes en ce domaine. Elles craignent que cette coupable connaissance par laquelle elles parviennent à l'orgasme ne leur vaille une bien mauvaise réputation si elle est ébruitée. D'ailleurs, bien des jeunes filles, ayant appris qu'il est malséant de s'adonner à de tels attouchements, ne se masturbent pas du tout. Il ne faut donc pas s'étonner si, le temps venu de faire l'amour avec un partenaire, elles ne savent ni comment prendre, ni comment donner du plaisir.

Mais il n'est jamais trop tard pour apprendre. Peut-être les leçons sexuelles de votre jeunesse sont-elles ainsi teintées de confusion, d'anxiété, de culpabilité. Ne perdez pas courage pour autant. Quel que soit votre âge, employez-vous dès maintenant à rattraper le temps perdu. La félicité sexuelle commence par l'exploration et la connaissance de votre propre corps. Ne croyez pas ces mauvaises langues qui prétendent que la masturbation est une triste chose, une activité répréhensible tout

La félicité sexuelle commence par l'exploration et la connaissance de votre propre corps.

juste bonne à gâcher le réel plaisir sexuel. Un orgasme est un orgasme, peu importe la manière par laquelle on l'atteint. Ce que vous apprendrez en vous donnant du plaisir par la masturbation vous aidera par la suite à mieux satisfaire votre partenaire. Il faut d'abord goûter nos propres caresses avant de pouvoir pleinement savourer celles qui nous sont prodiguées.

tive, croient que leurs désirs sexuels sont inacceptables et que leur corps est une chose exécrable. Les enfants à qui l'on a interdit les attouchements éprouvent souvent, devenus adultes, de tels sentiments. Ils craignent que leur corps ne paraisse laid et difforme. Docteurs et sexologues doivent fréquemment traiter des personnes dont l'apparence physique est tout à fait normale mais qui sont convaincues du contraire.

Ce que vous apprendrez en vous donnant du plaisir par la masturbation vous aidera par la suite à mieux satisfaire votre partenaire.

❧ L'APPRÉCIATION DE SOI

Pour jouir d'une vie sexuelle riche et satisfaisante, il faut d'abord apprendre à s'apprécier soi-même. Il est en effet fort difficile de donner ou d'accepter du plaisir sexuel si notre propre corps nous rebute. Bien des gens, à cause d'une éducation en ce sens trop restric-

Même si ce n'est pas le cas, ces individus imaginent que leur corps sent mauvais, qu'il est couvert de rides ou de vergetures ; ils se jugeront tour à tour trop gras, trop maigres, trop petits, trop grands ou trop poilus. Ils en viennent parfois même à croire que leurs parties génitales n'ont pas une forme, une taille, une couleur

La félicité sexuelle commence par l'exploration et la connaissance de votre propre corps.

et une texture adéquates. Dans la majorité des cas, ces craintes sont sans fondement.

Et vous, que pensez-vous de votre corps ? Déshabillez-vous, puis inspectez votre corps dans un miroir. Regardez-vous de haut en bas, de côté et par derrière. Que voyez-vous : des cuisses trop grosses ? des parties génitales repoussantes ? trop petites ? trop poilues ? Mesdames, trouvez-vous vos seins trop petits ? trop volumineux ? pas assez fermes ? Messieurs, êtes-vous insatisfaits de votre musculature ? de votre degré de pilosité ? Que ressentez-vous à la vue

de votre corps ? Est-ce du dégoût, de la déception, de la tristesse ou de la colère ?

Maintenant, observez-vous à nouveau. Lorsque vous portez sur vous-même ces jugements négatifs, quelle voix entendez-vous en votre for intérieur ? Est-ce celle d'un parent, de quelqu'un qui, dans votre enfance, vous a tourmenté ? S'agit-il de celle d'un partenaire amoureux présent ou passé ? Si c'est votre propre voix que vous entendez, demandez-vous alors quel événement ou quelle personne est à l'origine de ces jugements malsains que vous portez sur vous-même.

Une fois que tout votre corps sera en éveil, sensibilisé par les caresses que vous lui avez prodiguées, vous pourrez passer de la volupté sensuelle à un autre niveau de plaisir.

Sous ce flot négatif, percevez-vous également des voix positives qui vous disent que vous avez une peau de rêve, une nuque au galbe magnifique, de beaux seins, de beaux testicules? Jetez sur votre corps un regard neuf. Tentez d'imaginer ce que voit physiquement en vous l'être aimé. Après tout, qui dit qu'il faille être plus mince ou plus en chair, plus ou moins poilu, mieux membré? Mais qui donc prescrit ces critères esthétiques très relatifs? Par-delà ses attributs corporels spécifiques, tout être humain est imbu d'un certain charme, d'une certaine beauté. Une fois que vous aurez réalisé cela, que vous aurez vu en vous ce charme et cette beauté, votre moral et votre vie amoureuse ne s'en porteront que mieux. Regardez-vous et identifiez une partie de votre corps que vous aimez, dont vous êtes fier. Dites-vous: «Tu as de beaux yeux, de beaux seins, de beaux cheveux...» Faites-vous un devoir de vous répéter ces compliments au moins une fois par jour. Puis, chaque jour, identifiez une autre partie de votre corps qui vous semble attrayante et ajoutez ce nouvel élément à votre répertoire de louanges. Demandez également à votre partenaire ce qu'il aime de vous physiquement, puis contemplez ces parties de votre corps d'un regard neuf et admiratif.

Maintenant, fermez les yeux et caressez-vous doucement. Quelles sensations éprouvez-vous au contact de vos mains sur votre corps? Quelles émotions ces caresses éveillent-elles en vous? Ces attouchements vous font-ils sourire de bonheur ou tressaillir de dégoût? Vous sentez-vous mal à l'aise, maladroit? Et que disent maintenant ces voix intérieures? Vous chuchotent-elles que ces sensations sont malsaines et perverses, que vous ne méritez pas le plaisir qu'elles procurent? Si c'est le cas, imaginez

Dans un bon bain chaud, de simples et délicats plaisirs vous attendent.

que vous emballez tous ces messages négatifs, que vous en faites un paquet puis que vous l'expédiez aux personnes qui, au départ, ont enraciné ces notions néfastes dans votre conscience. Après tout, ce sont eux les responsables de ce négativisme qui vous mine aujourd'hui! Vous pouvez également imaginer que vous jetez ce paquet de funestes pensées à la poubelle; elles ne sont que déchets dans votre vie amoureuse. Maintenant que vous êtes débarrassé de ce triste bagage qui entravait votre plaisir, il est temps d'aller de l'avant. Caressez-vous à nouveau, cette fois en vous concentrant sur les agréables sensations que procurent ces touchers. Attardez-vous au grain de votre peau qui ne sera pas le même sur votre visage que sur vos bras ou vos cuisses. Goûtez ces différentes textures de votre épiderme. Concentrez-vous ensuite sur vos paumes: sont-elles douces ou rugueuses? sur quelles parties de votre corps cette douceur ou cette rugosité vous procure-t-elle le plus de volupté? Et qu'en est-il de votre pilosité? La jugez-vous toujours insuffisante ou excessive? Caressez vos poils et sentez combien, tout comme la fourrure d'un petit animal, ils sont agréables au toucher.

♠ EXPLORATION APPROFONDIE

Il est temps maintenant pour vous d'explorer votre corps de façon plus approfondie. Assurez-vous que la température ambiante est confortable, puis adoptez une position assise ou couchée. Il serait bon que vous ayez de la lotion ou de l'huile à massage à portée de la main. Si le cœur vous en dit, vous pouvez vous livrer à cet exercice dans un bain chaud

La plupart des parties du corps ne demandent qu'à être stimulées. Or, quoi de plus amusant que d'explorer ces sensations avec un partenaire?

auquel vous aurez ajouté de l'huile ou des sels de bain. Encore une fois, il s'agit ici de débuter en caressant chaque partie de votre corps pour vous concentrer ensuite sur les parties desquelles vous retirez le plus de satisfaction. Trois différents niveaux de plaisir entrent en jeu au cours de cet exercice. Il y a d'abord le plaisir simple, sensuel et animal du toucher. Il n'est en effet de sensation plus réconfortante et valorisante que de se sentir caressé. Laissez glisser vos mains sur votre peau et imaginez quel type de caresses ferait ronronner un chat. Une fois que vous aurez fait taire ces voix qui vous intiment de juguler ces coupables plaisirs, ils cesseront justement d'être coupables. Vous verrez alors que chaque partie de votre corps, sans exception, aime être touchée et caressée.

Maintenant que tout votre corps est en éveil, sensibilisé par les caresses que vous lui avez prodiguées, vous pouvez passer de la volupté sensuelle à un autre niveau de plaisir : celui de l'excitation sexuelle. Tout le monde connaît bien sûr les bienfaits de la stimulation des mamelons, du pénis et du clitoris. Sans doute ne serez-vous pas étonné de découvrir que la bouche et les lobes d'oreille sont des zones érogènes extrêmement sensibles. Les petites et grandes lèvres chez la femme, et le scrotum chez l'homme, sont également des zones de grande sensibilité. Doigts et orteils, lorsque sucés et mordillés, produisent eux aussi leur part d'émoi. De même, bien des gens connaissent déjà le potentiel sensoriel de la nuque, de l'intérieur des cuisses ainsi que de la saignée du coude et du genou. Jusque-là, pas de surprises. Mais pense-t-on toujours à ces importantes zones érogènes que sont les fesses, le creux des reins et la région anale ? Comment réagissez-vous lorsqu'on vous caresse le bas du dos, lorsqu'on vous chatouille le dessus du pied ? La manière dont telle ou telle partie du corps est stimulée influe également sur le niveau d'excitation sexuel obtenu. Touchez, caressez votre corps de différentes façons et notez bien l'effet que produit sur vous chacun de ces attouchements. Brossez légèrement votre peau du bout des doigts,

Employez une plume pour effleurer et chatouiller.

puis, l'instant d'après, allez-y avec les ongles et griffez-vous délicatement. Chatouillez-vous, massez-vous tantôt doucement, tantôt vigoureusement avec la paume de vos mains. À l'aide de vos pouces, procédez à des pétrissages et à des pressions stratégiques. Vous pouvez vous caresser en mouvements amples ou encore vous concentrer sur une partie de votre corps en particulier. Identifiez les régions qui, une fois stimulées, provoquent chez vous une excitation sexuelle maximale, puis expérimentez différents types de toucher visant ces zones spécifiques.

♠ SE DONNER DU PLAISIR

Maintenant que vous savez vous démarrer, il est temps que vous appreniez à vous donner du plaisir plus purement sexuel. De l'excitation, nous en arrivons maintenant à la jouissance, à une pleine mesure de satisfaction. Il est évident que l'on peut atteindre l'orgasme en ne stimulant que le pénis et le clitoris, néanmoins, la masturbation sera d'autant plus satisfaisante si l'on garde la totalité du corps en éveil. Prenez votre temps. Imaginez que vous êtes en train de peindre un portrait ou un paysage. Utilisez vos doigts ou divers accessoires pour créer des couches successives de sensations et de réactions. Votre plaisir sera beaucoup plus grand

Imaginez que vous êtes en train de peindre un portrait ou un paysage. Utilisez vos doigts ou divers accessoires pour créer des couches successives de sensations et de réactions.

si vous employez différents types de toucher – caresses, pincements, griffures, morsures et petites tapes – ou si vous incorporez différentes textures au processus. Enduisez-vous d'huile ou de lotion, puis laissez vos mains glisser à la surface de votre corps, malaxer votre peau maintenant moite. Employez une plume pour effleurer et chatouiller. Caressez-

Montrez et expliquez à votre partenaire comment vous vous donnez du plaisir à vous-même.

La clé, c'est la communication.

vous à l'aide d'une écharpe de soie, d'une étoffe pelucheuse, d'une serviette rugueuse. Frottez-vous avec une éponge que vous plongerez tantôt dans l'eau chaude, tantôt dans l'eau glacée. Rien ne presse. Prenez tout votre temps. Soutirez un maximum de plaisir de ces attouchements. Et ne craignez

pas de vous faire mal : la douleur est partie intégrante du plaisir sexuel. Si un toucher spécifique vous fait tressaillir ou défaillir, c'est que vous êtes sur la bonne voie. Excitez-vous le plus possible et continuez jusqu'à ce que vous ayez atteint l'orgasme. Ce dernier ne devrait toutefois pas signifier la fin du plaisir. Après l'orgasme, l'homme et la femme trouvent une mesure supplémentaire de satisfaction dans l'étreinte. Ainsi, après vous être masturbé, enlacez-vous vous-même ; caressez vos bras, votre dos, votre visage. Vous tirerez de ces gestes un délicieux réconfort. D'ailleurs, pourquoi s'arrêter à un seul orgasme ! La majorité des femmes sont capables d'orgasmes multiples. Certains hommes affichent eux aussi une capacité de jouir plus d'une fois en un court laps de temps. Le tout est d'essayer, d'explorer à fond votre propre potentiel orgasmique. Continuez de vous stimuler après avoir joui une première fois : il est fort probable que votre prochain orgasme sera encore plus intense que le précédent.

L'exploration de votre corps est une chose que vous pouvez faire seul ou en présence de votre partenaire. Quoi qu'il en soit, il est bon que vous partagiez ensuite vos découvertes avec ce dernier. Installez-vous tous les deux au creux d'une atmosphère confortable et intime, puis montrez et expliquez à votre partenaire comment vous vous donnez du plaisir à vous-même. Touchez-vous et dites-lui ce que vous ressentez lorsque vous caressez telle ou telle partie de votre corps, de telle ou telle façon. Permettez à votre partenaire de vous observer tandis que vous vous masturbez. Vous pouvez bien sûr faire cela tous les deux, simultanément, mais alors il devient difficile de ne pas se perdre dans ses propres sensations et de continuer à observer ce que fait l'autre. Tentez cependant quelques essais en simultané avant de passer à l'étape suivante où chacun caressera et masturbera l'autre, mettant en pratique ce qu'il a appris.

Plus la montée est longue et excitante, plus intense sera l'apothéose finale.

❧ LA COMMUNICATION : LA MEILLEURE FORME DE SEXE ORAL

La communication est la clé. Dans toute relation amoureuse, il est essentiel d'exprimer à l'autre ce que l'on pense et ce que l'on ressent. Bien sûr, ce n'est pas toujours chose facile – on nous a suffisamment répété, durant l'enfance, qu'il est grossier de parler de sexe. Nous avons tendance à employer trois différents niveaux de langage pour décrire les organes, les comportements et les sensations reliées au sexe : le langage clinique, le langage obscène et le langage retenu. Pas étonnant dans ces conditions qu'il soit si difficile de s'exprimer lorsqu'on fait l'amour ! En effet, doit-on dire que l'on copule, que l'on baise ou que l'on « fait la chose » ? Et l'effet produit ne sera pas le même d'une personne à l'autre ou d'un couple à l'autre : alors que certains trouveront un de ces niveaux de langage choquant ou embarrassant, d'autres s'en délecteront. Par exemple, bien des couples usent de propos orduriers afin de fouetter leur désir sexuel. À des oreilles plus délicates, un tel langage aura sans doute l'effet contraire. Quoi qu'il en soit, il est essentiel que, de concert avec votre partenaire, vous exploriez ce stimulant univers vocal et y trouviez votre place. Il vous faudra éventuellement trouver des façons de signifier clairement à l'autre ce qui déclenche en vous les plus intenses vagues de désir et de plaisir. Les mots ne représentent certes pas ici le seul et unique mode d'expression : les soupirs, les halètements, les mouvements du corps constituent autant de messages qui feront savoir à votre partenaire qu'il s'y prend de la bonne manière. Au lit, un gémissement bien senti n'a rien d'équivoque. Bref, n'hésitez pas à vous exprimer. Votre partenaire ne peut lire dans vos pensées, vous devez donc vous montrer aussi expressif que possible. Sinon, comment l'autre pourra-t-il apprendre à vous faire jouir comme vous le désirez ? Dans le feu de l'action, n'oubliez pas de rester à l'écoute du corps de votre partenaire, car lui aussi cherche à vous communiquer ses joies et ses désirs. En cas de doute, n'hésitez pas à lui demander explicitement ce dont il a envie.

Il est certes tentant de passer tout de go à l'essentiel quand l'être aimé se trouve là, tout près, blotti contre nous. Cependant, comme c'est le cas lors de l'exploration solitaire, il est important de ne pas précipiter les choses lorsque l'on caresse et masturbe un partenaire. Trop souvent, dans notre esprit, sexe est synonyme de pénétration. Vue sous cet angle, l'activité érotique se trouve réduite au coït, ce qui est bien

Aidez votre partenaire à vous satisfaire.

dommage. L'atteinte du sommet n'est pas le seul point d'intérêt d'une promenade en montagne ; on tirera également une part appréciable de plaisir à gravir doucement les sentiers, à savourer les différents panoramas qui, en cours de route, s'offrent à nous. En vérité, plus long est le périple et plus vive sera la satisfaction une fois le sommet atteint. Il en va de même de la sexualité : plus la montée est longue et

excitante, plus intense sera l'apothéose finale. Prenez le temps de vous étendre au côté de votre partenaire, de le cajoler. Ainsi que vous l'avez fait lorsque vous vous caressiez vous-même, utilisez tantôt le bout de vos doigts, tantôt vos paumes. Variez le type et l'intensité de vos attouchements. Effleurez, pétrissez, mordez, griffez, tapotez. Touchez-vous vous-même afin d'exprimer à l'autre combien il vous est agréable de le caresser et, surtout, soyez attentif aux manifestations de son propre plaisir.

Maintenant que chacun a bien exploré par le toucher le corps de l'autre, il est temps de passer à un niveau de stimulation plus franchement sexuel. Orientez les caresses de votre partenaire vers vos zones érogènes les plus sensibles et, de même, laissez-lui le soin d'orienter les vôtres. N'oubliez pas que vous êtes des personnes différentes. Aussi, ces attouchements qui vous excitent à vous en faire perdre la tête pourraient, si vous décidez de lui rendre la pareille, laisser votre partenaire totalement indifférent ou même lui être désagréables. Permettez à l'être aimé de vous guider dans les caresses que vous lui faites et, en retour, montrez-lui comment vous donner du plaisir. Ce n'est qu'une fois que la flamme du désir sexuel est bien allumée que l'on peut songer à la pénétration. Ne craignez pas de prolonger cette délicieuse anticipation, cette douce agonie. Tout comme la sensualité

ici des résultats aussi heureux. Il est certes facile pour l'homme de jouir alors que son pénis est étroitement enserré dans la chaude et délicieuse moiteur d'un vagin. Leurrés par cette extraordinaire sensation, bien des hommes croient que leurs partenaires féminines ressentent le même plaisir qu'eux lors de la pénétration et sont de surcroît convaincus que cette pratique représente pour leurs amantes le moyen idéal d'atteindre l'orgasme. En vérité, pour que la femme atteigne l'orgasme, il faut que son clitoris soit stimulé, chose que le coït n'accomplit qu'indirectement. Il est vrai qu'un complexe réseau nerveux se déploie à partir de ce petit organe. On estime que, à grosseur égale, la zone de sensibilité du clitoris s'étend sur une superficie quelque 30 fois supérieure à celle du pénis. Cela signifie que, lors de la pénétration vaginale, les sensations qui mènent à l'orgasme sont en partie transmises au clitoris. Cela dit, bon nombre de femmes ont besoin pour jouir d'une stimulation clitoridienne plus ponctuelle, soit par une manipulation digitale directe, soit par l'emploi d'une position sexuelle qui stimulera davantage celui-ci. Quoi qu'il en soit, le plaisir sexuel de la femme est irrémédiablement lié au degré de stimulation du clitoris, non seulement avant, mais aussi après le coït. Pour elle, la pénétration ne représente en aucun cas le summum de l'activité sexuelle.

> *Permettez à l'être aimé de vous guider dans les caresses que vous lui faites et, en retour, montrez-lui comment vous donner du plaisir.*

doit précéder la stimulation sexuelle, cette dernière doit constituer une préparation suffisante à la copulation proprement dite. Chaque étape ayant son importance, il est impératif, je le répète, de ne pas précipiter les choses.

♦ LA PÉNÉTRATION : PAS TOUJOURS LE SUMMUM POUR LA FEMME

La pénétration est en soi une méthode agréable et efficace d'atteindre l'orgasme… pour l'homme ! En revanche, la physiologie de la femme ne garantira pas

Afin de mieux apprécier et comprendre le corps de votre partenaire, afin de découvrir ce qui l'excite vraiment, tentez l'expérience suivante : la prochaine fois que vous ferez l'amour, excluez la pénétration. Tenez-vous-en plutôt à des attouchements qui vous garderont l'un et l'autre en état de grande excitation sexuelle, mais sans jamais vous mener à l'orgasme. L'objet de cet exercice est de faire durer le plaisir le plus longtemps possible. En vous interdisant ainsi cette puissante et immédiate gratification que procure le coït, vous et votre partenaire découvrirez de

---

Avant de songer à la pénétration, prenez le temps de bien stimuler votre partenaire.

Imaginer un fantasme et chercher à le réaliser est une chose parfaitement naturelle et même souhaitable pour le bonheur d'un couple.

nouveaux moyens de vous donner et de prendre du plaisir. Et cette jouissance issue non pas de vos organes génitaux, mais de vos mains, de vos lèvres, de vos langues ou même d'accessoires divers, s'avérera sans doute plus durable, plus intense que ce que vous avez connu jusqu'alors. Prolongez encore davantage le plaisir en vous adonnant à plusieurs séances consécutives de cet exercice. Reléguant ainsi la pénétration au second plan, votre couple mettra l'accent sur d'autres types de caresses et trouvera de nouveaux moyens de jouir et de faire jouir.

♦ COMPLÉMENTS AU SEXE

Il ne faut pas craindre que tous ces jeux et exercices auxquels vous vous adonnez soient préjudiciables aux aspects les plus profonds, les plus sérieux de l'activité sexuelle. S'amuser au lit ne veut pas dire que l'on prend sa relation de couple à la légère. Que vous évoluiez au sein d'une union de longue date ou d'un couple récent, vous devez toujours traiter votre partenaire avec respect et délicatesse. Cela dit, quelle serait l'utilité du sexe s'il ne permettait pas de rire et de s'amuser, et s'il n'insufflait pas en nous un bien-être à aucun autre pareil ? Il y a tant de manières d'approfondir notre vie sexuelle et d'y ajouter du piquant qu'il serait dommage de se priver d'en explorer quelques-unes. Ainsi, il n'y a aucun mal à s'habiller de façon à attiser le désir sexuel de notre partenaire. Et puisqu'on est habillé de manière sexy, autant apprendre à se déshabiller sensuellement, langoureusement. Au bout du compte, ce que chacun de nous désire, c'est de faire perdre la tête à cette personne qui nous est si chère. Dans les pages suivantes et tout au long de cet ouvrage, je vous enseignerai à utiliser vêtements et parures pour égayer votre vie amoureuse. Je vous montrerai également comment incorporer dans vos ébats divers accessoires sexuels : huiles et lotions, vibromasseurs et godemichés, martinets et cravaches, sangles de cuir, plumes d'oiseau, etc. Je vous familiariserai avec à peu près tous les accessoires sexuels imaginables et vous expliquerai comment les utiliser. Nous aborderons ensuite le sujet des positions sexuelles. Que ceux d'entre vous qui s'estiment experts en la matière sachent qu'il en existe des centaines et je

parie qu'il en est dont vous ne soupçonniez même pas l'existence.

Par-delà l'exotisme des accessoires et des positions sexuelles, le complément le plus important à la sexualité reste sans contredit le fantasme. Certes, chacun a ses fantasmes, mais cet aspect de la sexualité gagne à être développé et mérite donc que l'on s'y attarde. Un fantasme peut être une pensée, un vœu fugace qui se présente à l'esprit puis suit son cours tout naturellement, sans aucun contrôle conscient. Il peut également s'agir d'un scénario inventé de toutes pièces et se déroulant selon un schéma très spécifique. Le fantasme est en vérité le produit du plus important organe sexuel de tout le corps humain : le cerveau. De cet organe dépend en grande partie la qualité de notre vie sexuelle et amoureuse. Le fantasme est avant tout une sorte de jeu. À ce titre, il se doit d'être amusant. Imaginer un fantasme et chercher à le réaliser est une chose parfaitement naturelle et même souhaitable pour le bonheur d'un couple. Curieusement, la majorité d'entre nous ont des fantasmes fort similaires – ce qui, bien sûr, n'enlève rien à leur unicité. Tout cela pour vous dire qu'il n'y a rien de bizarre là-dedans. Après avoir pris connaissance des scénarios de fantasmes proposés dans cet ouvrage, il serait bon que vous en discutiez avec votre partenaire. Employez-vous ensemble à identifier ceux qui titillent davantage votre imagination, puis décidez ensuite de la façon d'en faire usage. Certaines personnes préfèrent faire du fantasme un usage privé, comme une image stimulante dans leur esprit. D'autres favorisent une approche orale, descriptive : racontant à leur partenaire leurs fantasmes, elles tirent de ces récits une grande excitation sexuelle. Puis il y a les couples qui optent pour une approche concrète. Ceux-là conviennent de mettre en pratique leurs fantasmes, de leur donner vie en les exécutant dans la réalité.

♦ LE POUVOIR DU FANTASME SEXUEL

Il est important de réaliser que le fantasme ne représente pas la réalité, qu'il relève du domaine de l'imaginaire. Bien souvent, nous n'avons aucunement l'intention de vivre concrètement ces scénarios que nous imaginons avec délice. Par exemple, bien des gens aiment s'imaginer faisant l'amour à une très jeune

24

L'instant d'un fantasme, vous vous réinventerez vous-même et, par la même occasion, impartirez à votre relation un nouveau souffle.

personne. Or, dans les faits, séduire un ou une mineure est un acte criminel. De même, bien que les fantasmes de viol et d'homosexualité soient étonnamment fréquents, cela ne veut pas dire que leur auteur désire réellement se faire violer ou coucher avec une personne du même sexe que lui. Le fait que ces deux types de fantasmes soient si courants démontre bien qu'il n'existe aucun lien concret entre le fantasme et son pendant dans la réalité. On peut très bien imaginer ou même monter et interpréter un scénario fantasmatique avec son partenaire sans pour autant avoir l'intention de le vivre réellement. De fait, l'attrait principal du fantasme provient du troublant sentiment de transgression morale qu'il suscite. Cela explique pourquoi tant de gens sont attirés par des fantasmes étranges et inquiétants. Si vos propres fantasmes vous paraissent sinistres ou bizarres, rassurez-vous : il n'y a pas là matière à s'alarmer. Laissez-vous aller et tirez autant de plaisir que possible de ces rêves inoffensifs. Vous devez néanmoins réaliser que tout fantasme comporte des limites qu'il ne faut jamais dépasser. Quiconque désire profiter au maximum de l'information contenue dans cet ouvrage doit se montrer capable de faire la différence entre amour et abus, entre plaisir mutuel et exploitation, entre volupté et souffrance.

❧ METTRE EN SCÈNE SES FANTASMES

La mise en scène est un aspect fondamental du fantasme sexuel. Lorsqu'elle est réussie, elle permet aux participants de donner libre cours à leur imagination et ainsi de plonger véritablement au cœur de leur fantasme. Évidemment, cela suppose certains préparatifs. L'agencement de l'espace et des accessoires, des rôles bien définis, un dialogue préétabli sont autant d'éléments qui donneront corps à votre fantasme et qui, de ce fait, vous permettront d'entrer réellement dans la peau de votre personnage. Au fil des séances, vous gagnerez en confiance, si bien que vous serez bientôt en mesure de créer vos propres scénarios et dialogues. Entre-temps, je proposerai à l'intention du néophyte ou du couple en mal de répertoire tout un éventail de possibilités fantasmatiques qu'il pourra explorer à loisir. Et soyez assuré que, quel que soit votre choix, il sera judicieux : chacun de ces scénarios érotiques est spécialement conçu pour raviver la flamme de votre couple. L'instant d'un fantasme, vous vous réinventerez vous-même et, par la même occasion, impartirez à votre relation un nouveau souffle.

Chapitre 2

PRÉPARER
LE TERRAIN

Connaissance de soi et confiance en soi sont les premières étapes menant à une vie sexuelle plus aventureuse. Lors de la phase suivante, nous invitons notre partenaire à se joindre à nous, à partager avec nous ces nouvelles connaissances. Mais comment préparer le terrain en vue d'un épisode érotique ? Comment signifier à notre partenaire notre désir et nos intentions ?

Trop souvent, estimant que, pour être romantique, la sexualité ne doit être ni planifiée ni calculée, nous accordons un crédit indu à la spontanéité. Pourtant, le fait est que, la plupart du temps, nos vies sexuelles font l'objet d'une planification rigoureuse. Bien sûr, nous feignons qu'il n'en est rien, prétendons que le hasard est de la partie chaque fois que nous faisons l'amour. Et si les éruptions spontanées de désir ne sont certes pas inconcevables, on ne peut soutenir qu'elles soient monnaie courante. Dans la plupart des cas, le sexe nous trottait déjà dans la tête avant que nous passions à l'acte. Ne vous arrive-t-il pas de rêver une journée entière de la nuit d'amour à venir ? de planifier durant la semaine les ébats débridés du week-end ? Sans parler de ces allusions tantôt subtiles, tantôt manifestes que nous lance notre partenaire, nous signifiant que tôt ou tard il faudra bifurquer vers la chambre à coucher. En pareilles occasions, nous savons pertinemment de quoi il retourne même si nous affectons l'innocence pour faire bonne mesure. Il arrive cependant que, par gêne ou par timidité, l'on choisisse d'ignorer le désir de l'autre. En agissant ainsi, on brouille irrémédiablement les cartes. En effet, si aucun des partenaires n'est capable d'exprimer clairement à l'autre ses sentiments, il deviendra très difficile de passer à l'acte. Une attitude réservée ou détachée ne pourra que décourager les élans potentiels de votre partenaire. Par la suite, si, en apparence de but en blanc, vous rendez vos intentions manifestes, sans doute l'être aimé s'en trouvera-t-il surpris et dérouté.

🔥 LE SECRET EST DANS LA PRÉPARATION

Alors, comment préparer le terrain ? Certains, optant pour la voie simple et directe, demanderont tout simplement à l'être cher s'il a envie de faire l'amour. D'autres joueront le grand jeu, accordant à leur partenaire dès leur retour à la maison une réception tout d'éclairage tamisé, de bougies, de champagne et de lingerie fine. Bien que ces méthodes puissent en certai-

ce qui nous force à recourir à quelque nécessaire mais néanmoins délicieux préambule à l'amour. Préparer mentalement son partenaire aux jeux de l'amour est l'équivalent sensuel des préliminaires sexuels : plus qu'un simple prélude à la pénétration, ces préliminaires sont une fin en soi, une réelle source de plaisir. De même, le jeu du désir révélé mais non assouvi constitue une forme de sexualité en elle-même fort satisfaisante. Pour tout dire, la préparation du terrain est une manière de flirt. Contrairement à la croyance populaire, flirter n'est pas chose interdite au sein d'un couple. Trop de gens ne flirtent qu'avec des personnes étrangères à leur relation, privant ainsi leur partenaire

Certains joueront le grand jeu, accordant à leur partenaire dès leur retour à la maison un accueil chaleureux fait d'éclairage tamisé, de bougies, de champagne et de lingerie fine.

Préparer mentalement son partenaire aux jeux de l'amour est l'équivalent sensuel des préliminaires sexuels : plus qu'un simple prélude à la pénétration, ces préliminaires sont une fin en soi, une réelle source de plaisir.

nes circonstances remplir admirablement leur fonction, il est parfois préférable de tâter le terrain et de signifier à l'autre ses intentions. Il faut comprendre que les feux de la passion ne s'embraseront pas toujours subitement,

de ce délicat plaisir. Dans la perspective du couple, le flirt peut être vu comme un son de cloche en résonance sympathique avec nos intentions sexuelles. Vous vous souvenez sans doute de Pavlov et de ses travaux sur le système salivaire. Ce médecin russe avait pris l'habitude de faire tinter une cloche avant de nourrir les chiens qui étaient les sujets de ses expériences. Avec le temps, qu'il y ait repas ou non, chaque fois que Pavlov faisait tinter la cloche les chiens se mettaient à saliver. De même, vous et votre partenaire devez vous efforcer d'instaurer entre vous des signaux spécifiques propres à déclencher les mécanismes du désir.

❧ LE SEXE SANS EFFORT

Tentant de définir ce vers quoi nous tendons dans le cadre de notre vie sexuelle, l'auteur Erica Jong parle de « baise sans fermeture éclair ». Elle entend par là que nous voulons tous que nos gestes coulent de source, que les choses se passent sans effort. Nous voulons que nos vêtements disparaissent sans que nous ayons à nous escrimer avec boutons et fermetures éclair, que les contraceptifs que nous utilisons se mettent en place d'emblée et que l'éclairage se tamise comme par enchantement. En fait, nous agissons comme si la moindre maladresse, la moindre distraction pouvait totalement gâcher la magie du moment. C'est pour cela qu'il est si important de préparer le terrain, de bien planifier les choses afin d'éliminer d'emblée tout obstacle qui risquerait de tempérer nos élans de passion. Si, par malheur, quelque petit contretemps vient freiner vos ardeurs,

Le désir vient aisément quand les deux partenaires sont sur la même longueur d'onde.

eh bien, inutile d'en faire tout un plat ! Autant en rire avec votre partenaire et ne pas vous tourmenter outre mesure. Abordant l'incident avec légèreté, vous désamorcerez ce côté embarrassant de la situation.

Que l'on mette deux minutes ou deux jours entiers à préparer le terrain à l'amour, l'important est d'éviter les ambiguïtés. Par-dessus tout, il faut faire preuve de clarté quant à nos intentions. Certains couples favoriseront par exemple une approche directe : « J'ai envie de faire l'amour ce soir. Ça te dit ? » D'autres aborderont plutôt le sujet avec un peu plus de finesse : « Je crois que je vais me coucher tôt ce soir. Tu viens avec moi ? » Il n'y a aucun mal à

employer euphémismes et sous-entendus, à condition bien sûr que votre partenaire sache les interpréter correctement. Dans toute relation amoureuse, la communication non verbale a une importance capitale ; chaque partenaire devra donc s'employer à reconnaître les signaux par lesquels l'autre lui communique son désir sexuel.

❧ LE LANGAGE DU CORPS

Dans l'univers de la sexualité, le corps est souvent plus éloquent que la parole. L'expression « langage du corps » fait ici référence à la façon que l'on a de se tenir, de regarder l'autre, de bouger, dans la mesure où ces gestes révèlent à notre partenaire ce que nous désirons. Ce processus d'interprétation est à la fois subtil et complexe. Bien souvent, nous ne réalisons pas que notre corps élabore de tels messages et recevons rarement de façon explicite ceux que nous envoie notre partenaire. On pourrait dire que ces messages sont transmis et reçus de manière plus intuitive que consciente. Afin de vous faciliter la tâche et de clarifier les choses, voici quelques exemples de gestes qui, selon le contexte, peuvent signifier que votre partenaire a envie de vous.

Lorsqu'il décide d'exprimer par le langage du corps son désir sexuel, l'homme moyen s'avère aussi subtil qu'un éléphant dans un magasin de porcelaine. On le verra tantôt brosser ses manches, tantôt tripoter sa cravate, sa montre ou les poignets de sa chemise. Qu'il soit debout ou assis, il tournera son corps de manière à ce que ses pieds et ses genoux soient pointés vers vous. Son regard se soudera un instant au vôtre pour se poser ensuite sur votre poitrine avant de glisser le long de votre corps. Si vous entretenez toujours, suite à cette démonstration, quelque doute que ce soit quant à ses intentions, attendez qu'il ancre résolument ses pouces dans sa ceinture, le reste de ses doigts pointant sans équivoque vers son entrejambe l'air de dire : « Hé ! Vise un peu ce que j'ai ici pour toi ! » Quant aux plus téméraires, ils s'affaleront sur une chaise ou un sofa, jambes largement écartées avec vue imprenable sur leurs charmes. Calquer la posture de l'autre est une autre marque d'intérêt employée, celle-là, tant par les hommes que par les femmes. Ainsi, si votre partenaire se tient assis ou debout dans la même position que vous, vous pouvez être certain qu'il cherche à établir un contact physique. Les femmes, quant à elles, ont des gestes révélateurs de désir similaires à ceux des hommes, mais avec des variantes typiquement féminines. Tout comme leurs vis-à-vis masculins, elles ont tendance à pointer du pied vers la personne qui les intéresse. Cependant, elles croiseront également les jambes et laisseront fréquemment un de leurs souliers pendre et se balancer de façon désinvolte au bout de leur pied.

Cela ne revient pas à dire, messieurs, qu'une femme assise ainsi s'intéresse nécessairement à vous. Peut-être est-elle tout simplement à l'aise dans cette position. Toutefois, si d'autres signes s'additionnent à celui-ci, il est fort probable que cette attitude témoigne d'une envie d'ordre sexuel. Souvent, lorsqu'une femme a le cœur à l'amour, elle baissera les yeux puis les relèvera tout en se léchant les lèvres, regard en biais. Un autre signe qui ne trompe pas est lorsqu'une femme, d'un geste lent, croise et décroise tour à tour les jambes tout en se caressant les cuisses. Quand l'élue de votre cœur agit de la sorte, n'hésitez pas, foncez!

Il est important que vous et votre partenaire exprimiez l'amour, la tendresse, le désir charnel que vous éprouvez l'un pour l'autre dans des circonstances autres que celles entourant l'acte sexuel proprement dit. Rien n'est plus désolant et plus rebutant que de réaliser que celui ou celle que nous aimons ne nous embrasse, ne nous cajole et ne s'intéresse à nous que lorsqu'il ou elle a envie de sexe. Selon le témoignage de Sharon : « Steve ne me touche que quand il veut coucher avec moi. On dirait que lorsqu'il n'a pas envie de moi, il oublie carrément que j'existe. Je lui sers religieusement son repas du soir, toujours à la même heure ainsi qu'il l'exige, mais

ensuite il regarde la télé ou alors il va boire un pot avec les copains. Lorsqu'il revient de ses escapades tout dégoulinant de tendresse parce qu'il veut baiser, eh bien, pour tout dire, ça me dégoûte. » Un couple qui a l'habitude de s'embrasser, de se caresser, de se toucher et de se chuchoter régulièrement des mots doux n'aura pas à faire face à ce genre de ressentiment.

◈ LE CYCLE DE LA RÉPONSE SEXUELLE

Il est difficile de cerner la nature du désir sexuel, de comprendre ce qui le déclenche spécifiquement. Il fut un temps où l'on croyait que la femme s'intéressait moins au sexe que l'homme et que, de surcroît, elle était plus longue à exciter que ce dernier. On prétendait également que, comparativement à l'homme, la femme éprouvait davantage de difficulté à retirer du plaisir de l'acte sexuel. Certains ont avancé que la cause de cette supposée frigidité était l'incompétence sexuelle généralisée des hommes de l'époque. Force nous est d'admettre qu'une telle explication est non seulement fausse, mais absolument ridicule. L'origine du problème est plutôt d'ordre moral. Il est relié au fait que le désir sexuel, acceptable chez l'homme et même signe pour lui de virilité, est considéré inconvenant chez la femme. Il est toutefois vrai que, dans l'ensemble, l'homme songera plus souvent au sexe que la femme. Ayant fantasmé toute la journée de la nuit d'amour à venir, monsieur reviendra du travail tout

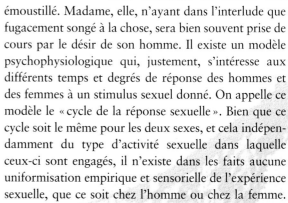

Rien n'est plus rebutant qu'un partenaire qui n'exprime ses sentiments que lorsqu'il vous désire sur le plan sexuel.

émoustillé. Madame, elle, n'ayant dans l'interlude que fugacement songé à la chose, sera bien souvent prise de cours par le désir de son homme. Il existe un modèle psychophysiologique qui, justement, s'intéresse aux différents temps et degrés de réponse des hommes et des femmes à un stimulus sexuel donné. On appelle ce modèle le « cycle de la réponse sexuelle ». Bien que ce cycle soit le même pour les deux sexes, et cela indépendamment du type d'activité sexuelle dans laquelle ceux-ci sont engagés, il n'existe dans les faits aucune uniformisation empirique et sensorielle de l'expérience sexuelle, que ce soit chez l'homme ou chez la femme.

Une bonne compréhension du cycle de la réponse sexuelle vous aidera cependant à préparer plus efficacement le terrain, à accorder en quelque sorte vos désirs et émotions à ceux de votre partenaire en vue d'un épisode sexuel.

♦ COMPRENDRE LE CYCLE SEXUEL

Le cycle de la réponse sexuelle comprend quatre phases distinctes. La première, celle de l'excitation, peut être provoquée par le simple fait de penser au sexe ou d'entrer en contact avec un stimulus – une image, une personne, une situation – qui éveille notre désir sexuel. Un toucher, une proposition d'ordre sexuel peuvent également enclencher la phase excitation du cycle. Au cours de cette phase, des changements physiques surviennent tant chez l'homme que chez la femme : le pénis et, parfois, les mamelons de l'homme entrent en érection ; chez la femme, on observe, outre l'érection des mamelons et du clitoris, une dilatation ainsi qu'une humidification de la vulve.

La phase de l'excitation n'a pas de durée fixe ; on peut l'étirer indéfiniment ou en faire l'affaire de quelques minutes. Vient ensuite la seconde phase, celle du palier. On se sent alors comme dans un chariot de montagnes russes, arrivé au sommet après une lente montée vertigineuse et juste avant la première descente tout aussi vertigineuse. Étourdis, le cœur qui bat, nous nous arrêtons pour prendre une profonde inspiration dont nous aurons d'ailleurs grand besoin. Durant la phase du palier, l'épiderme de l'homme et de la femme se couvre de rougeurs. Visage, torse, estomac, épaules et bras arboreront des plaques rouges causées par l'afflux du sang dans ces régions. La vue de ces rougeurs a de quoi fouetter les sangs – quoi de plus excitant qu'une personne empourprée par l'effort ou par l'émotion ! En fait, les femmes se fardent les joues de rouge justement pour reproduire cet effet. Au cours de cette phase, pénis, mamelons, seins et testicules augmenteront de volume. Il y aura également élévation de la tension artérielle, ainsi

L'amour exige un contact étroit avec l'autre.

qu'une accélération du pouls et de la respiration. Si les choses continuent d'aller bon train, on atteindra, entre 30 secondes et 3 minutes plus tard, la phase suivante, celle de l'orgasme. À ce stade de l'acte sexuel, rien ne va plus, les jeux sont faits. Impossible de retourner en arrière. La phase de l'orgasme se caractérise par une respiration haletante, hachurée. Le cœur bat la chamade. Le corps est pris d'assaut par une série de contractions musculaires incontrôlables. Puis vient la quatrième et dernière phase, celle de la résolution. C'est alors que le corps retourne à son état normal : les rougeurs disparaissent ; les parties génitales retrouvent leur volume habituel ; respiration et rythme cardiaque s'apaisent et redeviennent normaux.

♦ SAUTER UNE ÉTAPE

Le cycle de la réponse sexuelle est exactement le même pour l'homme et la femme. De plus, il se déroule toujours de la même façon, chaque fois que l'on fait l'amour. Cela dit, la nature et l'intensité des sensations et émotions ressenties, la durée du cycle, l'atteinte et l'achèvement de chacune de ces phases représentent autant de variables propres à chaque rapport sexuel. Ainsi, la phase de l'excitation durera tantôt plusieurs heures, tantôt quelques minutes à peine. Il est également possible de se maintenir indéfiniment à la phase du palier sans jamais atteindre l'orgasme. Certaines personnes, après avoir joui, retourneront directement au palier et auront plusieurs autres orgasmes avant de passer à la phase de la résolution. Quelle que soit votre façon de procéder, il ne faut jamais que vous sous-estimiez l'importance de la première phase, celle de l'excitation sexuelle. Peut-être, facilement émoustillé, franchissez-vous invariablement cette phase à toute vitesse. Eh bien, prenez garde ! Si votre partenaire s'avère moins expéditif que vous ne l'êtes, il finira tôt ou tard par se sentir délaissé et insatisfait. Bien des femmes se croient frigides parce qu'elles sont incapables d'atteindre l'orgasme durant l'acte sexuel. Plus souvent qu'autrement, ces femmes sont victimes d'un amant

Un innocent baiser à l'heure du déjeuner peut servir de préambule à une nuit de passion.

trop excité qui s'empresse de les pénétrer, jouit, puis s'endort aussitôt. De fait, il s'agit d'un problème fort simple : l'un de vous a sauté une étape et l'autre a toutes les peines du monde à le rattraper. Encore une fois, la solution est ici de communiquer avec votre partenaire, de lui faire savoir ce que vous désirez, ce que vous pensez. Il est essentiel que vous conveniez du temps accordé à votre vie sexuelle, mais aussi de la manière dont celle-ci se déroulera. Le but ultime de cette communication est que vous et votre partenaire franchissiez ensemble la phase de l'excitation afin d'arriver à celle du palier, puis enfin à celle de l'orgasme au même moment. Si vous avez tendance à gagner cette première phase plus rapidement que votre partenaire, prolongez-la jusqu'à ce que celui-ci soit arrivé au même niveau d'excitation que vous. De même, si vous dépassez la phase du palier et atteignez celle de l'orgasme avant votre partenaire, ne vous laissez pas aller à celle de la résolution : tournez-vous vers l'être aimé et prodiguez-lui les plaisirs nécessaires pour le mener à son tour à la jouissance. Souvenez-vous que vos ébats ne doivent pas nécessairement

s'arrêter après le premier orgasme. Si vous n'êtes pas de ceux qui sont capables d'orgasmes multiples, attardez-vous tout de même à cajoler et à caresser votre partenaire.

Il est vrai, ainsi que je l'ai mentionné, que le cycle de la réponse sexuelle est le même pour l'homme et la femme. Il ne faut cependant pas oublier que ce cycle peut à tout moment être interrompu, laissant un des partenaires frustré et insatisfait. Si vous gagnez la phase de l'excitation et celle du palier mais que vous sautez ensuite celle de l'orgasme, il vous faudra beaucoup plus de temps que de coutume pour vous calmer. Si vous interrompez le rapport sexuel avant de jouir, les parties du corps qui, pendant l'amour, sont gonflées de désir, deviendront sensibles et douloureuses avant de reprendre leur taille et leur aspect normal. Il ne faut toutefois pas craindre d'interrompre le cycle au point d'en précipiter les étapes. Une relation sexuelle stimulante et prolongée renforcera l'impact de l'orgasme, mais contribuera aussi à intensifier chacun des plaisirs que votre partenaire et vous croiserez en cours de route.

♦ LE TEMPS D'AIMER

Il est vrai qu'en s'avouant à soi-même ses désirs sexuels puis en les exprimant à l'être aimé, on s'assure une certaine mesure de satisfaction. Cependant, rien ne remplacera une préparation adéquate à la relation sexuelle. Cette idée du sexe en tant que geste nécessairement spontané cache souvent la gêne, l'embarras que nous ressentons face à nos propres désirs. Mais pourquoi donc devrait-on se sentir coupable de désirer l'élu de notre cœur et de vouloir lui faire l'amour ? Une rapide et fougueuse séance de jambes en l'air a certes son charme, mais si votre vie sexuelle se limite à ces ébats aussi impromptus que sommaires, alors il y a problème. La restauration rapide a ses avantages ; elle est pratique et généralement satisfaisante. Mais tôt ou tard nous nous fatiguons de pizzas et burgers, et convoitons un menu plus substantiel, plus raffiné. De même, votre vie sexuelle ne devrait pas être faite que de copulations vite expédiées au nom de la spontanéité. Elle devrait aussi être composée de somptueux festins longuement planifiés où s'étalent des plats magnifiques et variés que l'on peut déguster à loisir. Trop souvent, nous hésitons à manifester à l'autre nos élans de tendresse. Nous avons envie d'embrasser sa nuque, de caresser ses épaules et de l'étreindre amoureusement mais, par pudeur ou par gêne, nous ne faisons rien de tout cela. Nous voudrions lui dire « Je t'aime » ou « Ce soir, j'ai envie de toi », mais alors quelqu'un ou quelque chose vient fâcheusement freiner notre élan. Il est temps pour vous de laisser tomber une fois pour toutes ces faux-fuyants et de commencer à exprimer en priorité vos sentiments. S'il vous vient l'envie subite de dire ou de faire quelque chose à votre partenaire, eh bien allez-y ! Comme bien des gens, sans doute craignez-vous que votre partenaire repousse vos avances. Bien sûr, nul n'est friand de rebuffades, mais songez que bien souvent un partenaire qui se soustrait aux gestes d'affection exprime par là sa gêne face à ses propres sentiments. Il vous repousse non pas parce qu'il ne vous désire pas, mais parce qu'il n'est pas à l'aise avec son propre désir sexuel. Au lieu de considérer la chose comme une offense personnelle, persistez, mais avec douceur et respect pour l'autre.

Mais quels signaux doit-on envoyer à son partenaire pour lui dire que l'on a envie de lui ? Et comment reconnaître les signaux que celui-ci nous envoie ? Tout d'abord, il faut savoir qu'il y a de ces messages qui sautent aux yeux, tandis que d'autres sont plutôt discrets et subtils. Immédiatement après votre prochaine relation sexuelle, tentez d'identifier le signal, le détail qui en a été l'élément déclencheur. La passion de votre partenaire aurait-elle été suscitée par le parfum, par un vêtement que vous portiez ? Avez-vous échangé ce jour-là une parole, un geste inhabituel ? Que vous en soyez ou non conscient, quelque chose dans votre comportement ou dans celui de votre partenaire a sans doute trahi une envie sexuelle bien avant que l'un d'entre vous aborde le sujet ouvertement. Si vous parvenez à identifier l'élément déclencheur, répétez-le par la suite et observez bien la réaction de votre partenaire. Peu importe que cet élément soit un geste ou une chose banale ou évidente. C'est souvent par la simplicité que l'on obtient les meilleurs résultats. L'important, je le répète, est de bien préparer le terrain. Planifiez une journée, une semaine à l'avance s'il le faut le menu sexuel à venir. Plus vous vous donnerez de temps et plus vos signaux seront reçus clairement. Ainsi, le désir pourra s'épanouir à loisir.

Il n'est de meilleur moyen que la préparation pour s'assurer qu'un partenaire répondra favorablement à nos avances.

♦ S'Y PRENDRE D'AVANCE

C'est bien avant d'avoir envie de faire l'amour qu'il faut préparer le terrain à l'activité sexuelle. Il n'est de meilleur moyen que la préparation pour s'assurer que notre partenaire répondra favorablement à nos avances. Et que signifie « préparer le terrain » ? Cela peut tout simplement vouloir dire que l'on montrera à l'être cher combien on l'aime. Doux baisers, caresses et compliments mettront du baume au cœur de celui ou celle que vous aimez et lui donneront envie de vous. Si votre préparation est adéquate, il vous sera plus facile d'obtenir sexuellement ce que vous voulez, quand vous le voulez. Cela ne revient pas à dire que la spontanéité n'a pas elle aussi ses bons côtés. Que celui ou celle qui désire prendre son partenaire à l'im-proviste sache toutefois qu'il n'est recommandé de pro-céder ainsi que si l'on détient l'intime certitude que celui-ci saura interpréter correctement nos intentions. Si vous préparez à votre amour chéri un petit dîner aux chandelles, que vous dressez pour lui une table magnifique et que, découvrant tout cela, il vous lance : « Qu'est-ce que c'est que ce bazar ? Quelqu'un vient dîner ? Il y a encore une panne d'électri-cité ? » Avouez qu'il y a de quoi être déçu.

Afin d'éviter ce genre de mal-entendu, envoyez toujours à votre partenaire des signaux clairs. Glissez un billet doux dans une des poches de son veston, dans son sac à main ou entre les pages de son agenda. Soyez romantique, suggestif, obscène s'il le faut! Vous pouvez aussi mettre un condom, un vibromas-seur ou une paire de menottes dans ses affaires. Accompagnez l'objet d'une note lui suggérant l'usage qu'il pourra en faire en votre compagnie le soir venu. Autant que possible, soyez dis-cret, le but n'étant pas ici de met-tre votre partenaire dans l'em-barras. Quoique, à bien y penser, la plupart d'entre nous ne serions que trop heureux d'être perçus par nos confrères et consœurs de travail comme des amants et amantes exceptionnels, capables de déchaîner les plus folles pas-sions. Tout compte fait, peut-être devriez-vous faire en sorte que l'être aimé découvre votre petit message licencieux durant la pause café ou au beau milieu d'une réunion, de façon à ce qu'il soit vu par tous…

Il serait sans doute sexiste de suggérer que la femme attende son homme sur le pas de la porte, martini en main et vêtue d'un déshabillé vaporeux. Il s'agit néanmoins d'une méthode des plus éprouvées.

Lorsque votre partenaire revient à la maison, réservez-lui un accueil chaleureux.

par courrier électronique. Le premier contact doit être d'ordre général, du genre : « Je voulais simplement te dire que je t'aime, que tu me manques et qu'il me tarde de te voir ce soir. » Le second contact de la jour-née devrait faire allusion au sexe. Vous pourriez par exemple dire : « Je songeais à la dernière fois où nous avons fait l'amour, et je me disais que j'ai vraiment hâte de recommencer. » À la troisième communication, donnez-vous rendez-vous spécifi-quement dans le but de le faire.

Il est évident que l'on peut séduire son partenaire dans la chambre à coucher, mais pour-quoi ne pas tenter le coup au salon, avec désinvolture, après avoir siroté avec lui une tasse de thé ? Ceux qui veulent prolonger davantage la douce agonie de l'anticipation afficheront tout de go leurs intentions en élaborant une atmosphère saturée de désir. Il serait sans doute sexiste de suggérer que la femme attende son homme sur le pas de la porte, martini en main et vêtue d'un déshabillé vaporeux. Il s'agit néanmoins d'une méthode des plus éprouvées. Et puis, rien n'empêche l'homme de réserver à sa dulcinée un accueil similaire, avec short sexy et bouteille de Chardonnay. Quoi qu'il en soit, il est aussi important de peaufi-ner l'accueil que vous réservez à votre partenaire lorsqu'il rentre à la maison que d'apprécier celui qu'il vous réserve quand c'est vous qui rentrez. Lorsque l'am-biance est à la passion, oubliez vos problèmes, laissez-vous aller. Pour qu'une soirée de sexe soit réussie, il suffit de penser… au sexe.

⚜ L'AMOUR AU BOUT DU FIL

Si vous et votre partenaire n'êtes pas ensemble durant la journée, entrez en contact avec lui par téléphone ou

⚜ L'ÉVEIL DES SENS

La stimulation sexuelle nous rend plus sensibles aux stimuli physiques. C'est un fait. Préparer le terrain veut

Glissez un billet doux dans une des poches de son veston, dans son sac à main ou entre les pages de son agenda. Découvrant celui-ci plus tard dans la journée, il ou elle ne pourra s'empêcher de penser à vous.

Par une note suggestive ou un appel enflammé, signifiez à votre partenaire que vous l'attendez et le désirez.

donc également dire agencer l'espace de façon à favoriser l'éveil des sens. Mettez votre partenaire dans l'ambiance en vous assurant tout d'abord que la pièce dans laquelle vous prévoyez le séduire est bien chaude. Ensuite, faites couler un bon bain et invitez-le à vous y rejoindre. Créez une atmosphère sensuelle en drapant lampes et abat-jour de foulards légers ou en allumant quelques bougies. Il existe une raison fort simple expliquant pourquoi la lumière tamisée incite à la sexualité. Chez l'humain, le premier signe d'excitation sexuelle est la dilatation des pupilles. Or, lorsque l'intensité de la lumière ambiante décroît, les pupilles se dilatent. Regardez quelqu'un dans une lumière intense, alors que ses pupilles sont contractées, et vous vous direz sans doute que cette personne ne s'intéresse pas spécialement à vous. Regardez cette même personne à la lueur d'une chandelle et elle semblera alors avoir une envie folle de vous.

Bien des couples apprécient ce parfum de mystère, ce doux exotisme qu'évoque l'encens. Si vous n'êtes pas friand de cette substance aromatique, parfumez la pièce d'une autre manière. Une délicate eau de toilette, votre eau de Cologne préférée ou un bol de potpourri feront très bien l'affaire. Veillez également à composer une ambiance sonore délassante et voluptueuse, soit en musique, soit en passant des enregistrements évocateurs : bruits de vagues se brisant sur les récifs, clapotis d'un ruisseau, chants d'oiseaux – ou même le tonnerre assourdissant d'une course automobile, si c'est ce qui vous branche. Parmi les cinq sens, il n'en est de plus important du point de vue sexuel que le toucher. En guise de préambule à l'amour, un massage semble donc tout indiqué. Massez-vous l'un et l'autre. Faites-en une activité purement sensuelle, en retrait de l'acte sexuel. Les sensations tactiles données et reçues lors d'un massage sont un plaisir à part entière. En fait, le massage est un moyen idéal de découvrir à nouveau le corps de l'autre, de se remettre en contact avec lui. Cette activité peut bien sûr mener directement au sexe, mais elle constitue aussi un délassement en soi, une façon de se donner mutuellement de l'énergie qui peut précéder de plusieurs heures l'activité sexuelle.

Un massage sensuel et érotique commence toujours par le confort du partenaire. Étalez une couverture ou une serviette sur le sol ou sur votre lit, puis invitez l'autre à s'étendre dessus. Assurez-lui qu'il ou elle est entre bonnes mains. Parlant de mains, les vôtres doivent être bien chaudes avant que vous ne procédiez au massage. Si elles sont le moindrement glacées, réchauffez-les en les plongeant dans une eau tiède. Avant de commencer le massage proprement dit, versez une généreuse quantité d'huile ou de lotion dans la paume de votre main ; frottez ensuite vos paumes l'une contre l'autre afin de réchauffer cette huile ou cette lotion. Demandez à votre partenaire de s'étendre sur le ventre, puis chevauchez-le en prenant soin de ne pas reporter tout votre poids sur lui. Vous pouvez maintenant commencer à masser doucement sa nuque et ses épaules. Toujours très délicatement, frictionnez tour à tour son bras gauche puis son bras droit, vous attardant à cette zone particulièrement sensible qu'est la saignée du coude. Passez ensuite aux mains et aux doigts. Pétrissez-les, massez-les légèrement. Maintenant, vous pouvez vous occuper du dos de votre partenaire. Commencez par les omoplates, que vous masserez bien en suivant leur pourtour, puis descendez

le long de l'échine jusqu'au creux des reins. Attardez-vous un instant aux fesses, caressez-les voluptueusement avant de vous attaquer à jambes, pieds et orteils. Une fois que vous en serez aux jambes, souvenez-vous que l'intérieur des cuisses et la saignée du genou en sont les parties les plus sensibles. Lorsque vous aurez atteint la

plante des pieds, demandez à votre partenaire de se retourner puis parcourez tout son corps de vos mains, partant des chevilles et jusqu'à la poitrine. Frictionnez, caressez et pétrissez, toujours à l'écoute de l'autre. Lais-

tissez ensuite les rôles : c'est à l'autre de vous masser et à vous de vous faire chouchouter. Si cette séance de massage vous donne à tous les deux une telle envie de faire l'amour que vous ne pouvez plus vous contenir, massez et caressez-vous mutuellement les parties génitales. Commencez doucement, puis allez-y de plus en plus vigoureusement. Prodiguant ces caresses, assurez-vous que vos mains sont toujours bien lubrifiées. Ayez recours à une quantité supplémentaire d'huile ou de lotion au besoin.

Dorlotez votre partenaire en lui faisant un massage érotique.

♦ DANS LE MÊME BAIN

Partager un bain avec son partenaire est une autre façon d'éveiller les sens. Éclairage à la chandelle, eau chaude, huiles et sels de bain sont ici de mise. Vous pouvez également parfumer votre bain avec une mixture d'herbes diverses. Basilic, feuilles de laurier, lavande, reine-des-prés, romarin, sauge et thym sont reconnus pour leurs vertus stimulantes. Si vous envisagez plutôt un effet relaxant, employez alors de la valériane, de la camomille, du jasmin ou de la verveine. La plupart de ces herbes se vendent en sachets que vous tremperez dans l'eau de la baignoire pour la parfumer. Certaines huiles essentielles ont également des propriétés aphrodisiaques. Le poivre noir, la cardamome, le jasmin, le genièvre, les fleurs d'oranger, le patchouli, les pétales de rose, le santal et l'ilang-ilang auront l'heur de fouetter votre sensualité. Vous pouvez faire brûler ces huiles dans un contenant spécialement conçu à cet effet ou en verser une petite quantité dans l'eau du bain. Ces essences sont également offertes sous forme de cônes ou de bâtonnets d'encens. Afin de stimuler votre épiderme et de le rendre plus sensible aux caresses, frictionnez-vous à l'aide d'un gant de crin ou d'une éponge luffa. Et puisque vous y êtes, pourquoi ne pas stimuler également vos papilles gustatives ? Il s'agit après tout de piquer l'ensemble des cinq sens. Sans quitter la chaude

Partager un bain avec son partenaire est une autre façon d'éveiller les sens. Éclairage à la chandelle, eau chaude, huiles et sels de bain sont ici de mise.

sez ses réactions, ses manifestations de plaisir guider vos attouchements. Maintenant que votre partenaire est bien détendu, gardez un moment vos mains immobiles sur son corps tout en respirant profondément. Intervervolupté du bain, chatouillez le palais de votre partenaire en lui offrant des mets délicats qui évoquent certaines parties de votre corps et du sien : asperges, œufs de caille, saumon fumé, figues, melons, etc. Au chapitre 7, je vous exposerai un scénario de fantasme très populaire basé sur le thème des *Mille et une nuits*. À l'occasion de ce fantasme, l'un de vous sera un sultan arabe et l'autre son odalisque favorite. Tous deux prendront part à un véritable festin exotique et érotique.

Une fois vos plaisirs aquatiques terminés, enveloppez votre partenaire dans une grande serviette chaude et moelleuse, puis entraînez-le dans la chambre à coucher. Si votre envie est si forte que vous ne croyez pas pouvoir vous rendre jusque-là, eh bien allez-y, faites l'amour étendus sur le carrelage de la salle de bain ou, pourquoi pas, debout devant le miroir surplombant le lavabo. Vous pouvez même tenter le coup dans la baignoire si ça vous chante mais, dans ce cas, prenez garde de ne pas glisser ni de vous noyer !

◆ LAISSE-MOI T'EMMENER LOIN D'ICI

Il existe deux moyens par lesquels vous pouvez, sans risque de malentendu, signifier à votre partenaire que vous avez envie d'elle ou de lui. Le premier est de l'emmener loin de cette routinière existence dans laquelle vous êtes tous deux engoncés. Lorsqu'un couple se retrouve tous les soirs bien peinard à la maison, il devient extrêmement difficile de garder vive la flamme de son désir. Son lit devient un havre non pas de sexe, mais de sommeil. Ses soirées, encombrées par le train-train des tâches ménagères, ne vibrent plus de la même passion qu'auparavant. Le remède à ces maux est fort simple : si vous en avez les moyens, offrez à votre couple une nuit d'amour dans un hôtel chic. Réservez une chambre avec un grand lit – les lits jumeaux sont à éviter ! – et laissez le désir suivre son cours. Le fait de ne pas avoir à vous préoccuper de changer les draps ni de remettre un peu d'ordre dans la chambre après vos ébats vous fera le plus grand bien. En vérité, il n'est de lieu plus propice à la sexualité débridée qu'une chambre d'hôtel. C'est un endroit qui donne l'impression ambiguë de nager à la fois dans l'isolement et la promiscuité, dans l'intimité et l'anonymat – sans parler du lit, trônant en son centre comme une langoureuse et incontournable invitation. Ici, personne ne viendra interrompre vos élans amoureux, personne ne se soucie de ce que vous faites. Le lendemain, vous repartirez rassasiés, incognito et heureux. Mais l'essentiel est que, lorsque vous et votre partenaire partez pour une nuit ou un week-end loin du foyer, vous savez pertinemment que c'est pour vous envoyer en l'air. Le simple fait d'y penser suffira à vous exciter.

◆ LIVRES DE CHEVET

Vous pouvez également signifier clairement vos envies sexuelles à votre partenaire par le biais de publications érotiques. Peu de gens restent indifférents à la vue de corps nus, de couples faisant l'amour. Outre les revues et textes érotiques, une quantité astronomique de vidéos, de films et de sites Internet pornographiques s'offrent au consommateur en mal de stimulation. Depuis des siècles, l'homme et la femme ont recours à la littérature érotique pour se communiquer, d'une part, le désir qu'ils ont l'un de l'autre et, d'autre part, afin d'augmenter ce désir. Que ce soit à titre de plaisir solitaire ou en compagnie d'un partenaire, l'exploration des médias érotiques et pornographiques fouette l'imagination,

Feuilleter des revues érotiques est un bon moyen de se mettre dans l'ambiance.

permet à l'amateur de découvrir de nouveaux fantasmes, de nouvelles positions. Même les publications osées à vocation artistique ont l'heur de nous stimuler.

Depuis des siècles, l'homme et la femme ont recours à la littérature érotique pour se communiquer leur désir.

l'on croyait auparavant. Le fait est que, jusqu'à tout récemment, le gros de la production érotique et pornographique était conçu par des hommes et visait essentiellement un public d'hommes. Dans cet univers sexuel décliné au goût des fantasmes masculins, les femmes étaient dépeintes, non pas comme des êtres à part entière mus par leurs propres désirs sexuels, mais comme des objets assujettis à la seule jouissance des mâles. Pas étonnant en ce cas que la majorité des femmes n'y trouvaient pas leur compte. De nos jours, quantité de films érotiques sont spécialement conçus à l'intention de couples cherchant à pimenter leur vie sexuelle. Évidemment, rien ne vous empêche d'opter pour un film franchement porno si c'est ça qui vous excite. Le tout est que vous organisiez une excitante petite soirée vidéo en toute tranquillité, sachant que vous et votre partenaire ne serez pas déçus. Choisissez chacun un film qui vous fait envie, puis installez-vous devant la télé après vous être assuré que rien ni personne ne viendra vous déranger. Parez-vous de vos vêtements les plus sexy, serrez-vous l'un contre l'autre et, lorsque vous visionnerez une scène particulièrement excitante, communiquez votre émoi à votre partenaire.

De nos jours, quantité de films érotiques sont spécialement conçus à l'intention de couples cherchant à pimenter leur vie sexuelle.

Le débat concernant la pornographie est toujours ouvert. Certains prétendent qu'elle corrompt et avilit les esprits, qu'elle incite à la violence et favorise les comportements déviants. Pourtant, des millions de personnes on ne peut plus normales consomment chaque jour les produits de l'industrie pornographique. On peut en effet se demander quel mal il y a à présenter des images d'adultes qui font l'amour de leur plein gré dans un contexte de respect et d'égalité. Il fut un temps où l'on croyait que seuls les hommes s'intéressaient à la pornographie et que les femmes, elles, préféraient les images et écrits à caractère romantique. Aujourd'hui, nous savons qu'il n'en est rien. En vérité, les femmes sont aussi excitées que les hommes par les images purement sexuelles. Il y a bien sûr une différence entre ce qui excite une femme et un homme, mais cette différence est beaucoup plus subtile que ce que

Tournage intime.

Les images et les sons de l'amour contribuent à notre plaisir.

Laissez ce que vous voyez à l'écran vous inspirer et servir de point de départ à vos propres jeux érotiques.

◆ PRENDRE LA VEDETTE

Les couples amateurs de vidéo pornographique pourraient faire le grand saut et devenir eux-mêmes les vedettes de leurs propres productions érotiques. La plupart des gens ont un petit côté à la fois voyeur et exhibitionniste qui fait qu'ils éprouvent une certaine exaltation à se retrouver devant la caméra. Filmez-vous en pleine action avec votre partenaire et conservez précieusement ces témoignages de plaisirs sexuels passés. Il vous suffira ensuite de les visionner de nouveau pour ranimer les feux du désir. Ces moments magiques seront plus vivement immortalisés par le truchement d'une caméra vidéo, mais vous pouvez tout aussi bien capturer sons et

images à l'aide d'un appareil polaroïd et d'un magnétophone. Une fois que vous aurez pris l'habitude de documenter ainsi vos péripéties sexuelles, vous n'aurez plus qu'à sortir le matériel du placard pour que votre partenaire sache que vous avez envie d'elle ou de lui. L'usage de miroirs est également recommandé aux couples qui aiment se regarder faire l'amour. Allumez quelques bougies pour créer une ambiance chaude et sensuelle, puis orientez stratégiquement un grand miroir de façon à ne pas perdre une seconde de vos ébats amoureux. Et si votre partenaire et vous prenez goût à ce genre de plaisir voyeur, alors pourquoi ne pas installer en permanence un miroir au plafond ou sur un des murs de votre chambre ? Vous verrez que, vu sous cet angle, l'amour a une tout autre saveur.

Du point de vue légal, rien ne nous interdit de filmer, d'enregistrer ou de photographier nos rapports sexuels, à condition bien sûr que ces choses soient destinées à notre seul usage personnel. En revanche, il est illégal d'envoyer de telles photos, films ou enregistrements par courrier postal. De même, le développement de photos explicitement sexuelles par un laboratoire commercial est prohibé, et donc condamnable par la loi.

Toute occasion spéciale nécessite une planification préalable. Il en va de même de votre vie amoureuse. Même si votre vie sexuelle vous paraît satisfaisante, vous devez néanmoins faire preuve d'imagination pour combattre la routine et la facilité. Considérez chaque occasion que vous avez de faire l'amour avec votre partenaire comme une fête ; veillez à ce que tout soit parfait, songez à chaque détail. Au bout du compte, vous verrez que l'effort en vaut la peine.

Du point de vue légal, rien ne nous interdit de filmer, d'enregistrer ou de photographier nos rapports sexuels, à condition que ces choses soient destinées à notre seul usage personnel.

Chapitre 3

S'HABILLER
POUR LE SEXE

Pour se sentir sexy, il faut avoir confiance en soi, ce qui, pour la plupart d'entre nous, signifie se sentir à l'aise avec notre apparence. Malheureusement, quantité de gens tombent dans l'impasse de la beauté plastique conventionnelle et deviennent dès lors aveugles aux caractéristiques physiques qui font leur charme. Combien de femmes se trouvent moches parce qu'elles ont quelques kilos en trop !

Combien d'hommes se dérobent à l'amour à cause d'une calvitie naissante ! C'est dommage, car pour chacune d'elles il y a un homme qui adore les femmes bien en chair ; pour chacun d'eux existe une femme qui aime ce petit air viril et distingué que confère un crâne dégarni. Si votre apparence physique ne concorde pas avec l'idée que vous vous faites de l'homme ou de la femme idéale, il ne faut pas désespérer pour autant. Il serait bon que vous réalisiez que vedettes de cinéma et top models, tous ces symboles de perfection que vous admirez et enviez ne sont pas, dans la réalité, aussi belles et beaux que vous l'imaginez. Le look que ces mythiques créatures ont dans les

films, les magazines et les défilés de mode constitue en quelque sorte un produit artificiel. Ces poitrines pleines et élastiques sont soulevées et maintenues à l'aide de ruban adhésif. Ces mamelons sublimes, superbement tendus, sont frottés avec un glaçon ou pincés juste avant que le photographe ne déclenche l'obturateur. Cellulite et vergetures sont effacées à l'aérographe ou grâce à la magie de l'infographie. Les mannequins masculins, quant à eux, rehaussent souvent leur virilité en fourrant une paire de chaussettes dans leur pantalon. Sans le bénéfice de ce renflement on ne peut plus artificiel, ces étalons de fortune n'auraient de ce côté-là rien d'étonnant.

Au lieu de jouer les éternels insatisfaits, de toujours chercher à changer ce que vous êtes physiquement, employez-vous plutôt à soigner votre mise. En ce qui concerne votre vie sexuelle, cela signifie trouver le type de tenue qui viendra agrémenter vos fantasmes et qui incitera votre couple à en imaginer d'autres. Usez de certains vêtements et accessoires afin de donner vie à vos rêves érotiques les plus fous. Tout ce dont vous avez besoin pour commencer, c'est d'une bonne dose de confiance en vous-même.

⬧ S'HABILLER POUR LE GRAND FRISSON

Commencez par inspecter votre propre garde-robe. Quelles sont vos tenues les plus sexy? Quelles pièces d'habillement excitent votre partenaire et vous donnent envie, rien qu'à les porter, de faire l'amour? Peut-être s'agit-il d'un vêtement que vous et votre amoureux associez à un épisode sexuel particulièrement mémorable ou qui, tout simplement, vous donne l'impression d'être irrésistible. Certains types de vêtements sont plus évocateurs en ce sens que d'autres. Robes au décolleté plongeant, tenues moulantes, vêtements de cuir ou de velours ont de tout temps été synonymes de sexualité et de sensualité. Les ceintures à large boucle pour les hommes, les souliers et bottes à talons aiguilles pour les femmes sont d'autres accessoires vestimentaires qui transmettent des signaux sexuels reconnus et difficiles à ignorer. Le tout est de trouver ce qui fonctionne pour vous et votre partenaire. Surtout, gardez l'esprit ouvert, car un vêtement qui, de prime abord, paraît fade ou même ridicule pourrait, une fois enfilé,

prendre une tout autre allure. Il est important de se rappeler que chaque personne aura une réaction différente face à une pièce d'habillement donnée. Et chacun a ses préférences. Alors que certains craquent pour un pull duveteux, d'autres ne peuvent se contenir lorsque l'amour de leur vie enfile une élégante tenue de soirée. Inspectez votre garde-robe en compagnie de votre partenaire et laissez-le vous indiquer les pièces qui l'excitent tout spécialement. Ensuite, discutez ensemble des vêtements que vous devriez vous procurer dans le but spécifique d'enrichir votre vie amoureuse.

Quant aux tissus, les grands classiques demeurent fourrure, doux lainages, cuir, velours et satin. Ce qui fait l'attrait de ces matériaux, c'est leur texture. Bien que chacun ait la sienne propre, ils ont tous en commun qu'ils attirent le toucher. Il suffit de caresser une étoffe satinée ou veloutée pour qu'aussitôt notre sensualité soit éveillée. Ainsi, lorsque vous voudrez attiser le désir de votre partenaire, revêtez une tenue taillée dans un de ces tissus irrésistibles.

Un vêtement que l'on a déjà porté est un objet chargé de souvenirs. Tantôt, il évoquera la passion de vacances passées, alors qu'il pénétrait dans votre chambre d'hôtel avec ces pantalons-ci, ou qu'elle vous rejoignait au bar, superbe dans cette robe-là. Peut-être est-ce son bikini, son maillot sexy qui vous fait revivre l'émoi que vous avez ressenti en le voyant, en la voyant si légèrement vêtue sur la plage. Chaque homme, chaque femme a dans sa garde-robe quelque vêtement qui, à un moment ou un autre, a rendu son partenaire fou de désir. Revivez les premiers jours de vos amours en revêtant un costume qui vous transportera au temps d'alors. Parez-vous de cet ensemble que vous portiez ce soir même où vous avez fait l'amour pour la première fois. Un vêtement peut aussi être le reflet d'un fantasme. Par exemple, si vous vous imaginez jeune ingénue séduite par un homme mûr, faites-vous des tresses, enfilez un petit déshabillé léger et provocateur... et voyez ce qu'en pensera votre partenaire. Je parie qu'il n'aura aucun mal à entrer dans le jeu.

⬧ S'HABILLER SEXY

Dans l'esprit de bien des gens, vêtement sexy et fantasme sexuel sont irrémédiablement liés. Il est évident que certains se contenteront de soigner leur

Difficile de se contenir lorsque notre amoureux enfile une élégante tenue de soirée.

Quelles sont vos tenues les plus sexy ? Celles qui vous donnent l'impression d'être irrésistible ?

Certains types de vêtements sont plus évocateurs que d'autres. Robes au décolleté plongeant, tenues moulantes, vêtements de cuir ou de velours ont de tout temps été synonymes de sexualité et de sensualité.

mise et compteront sur leur garde-robe habituelle pour susciter le désir de l'autre. Judicieusement choisies, ces tenues de tous les jours produiront certes leur petit effet, mais il serait bon que vous vous procuriez certains vêtements que vous porterez dans le cadre spécifique d'un fantasme sexuel. Lorsque votre partenaire et vous aurez acquis suffisamment d'assurance pour vous engager dans la voie du fantasme, vous serez en mesure d'identifier les scénarios que vous désirez explorer. Un scénario maître/serviteur vous ferait-il envie ? Si oui, un aguichant costume de femme de chambre ou un habit de majordome est alors ce dont vous avez besoin. Dans le premier cas, une robe noire très courte, un mignon tablier blanc, une paire de bas de soie noirs et des souliers à talons

Il faut s'habiller de manière que notre partenaire ait envie de nous déshabiller...

Un plumeau ne sert pas qu'à épousseter le mobilier.

vous sauvagement sur le bureau du p.d.g., balayant d'un geste passionné mémos, rapports de rendement et études de marché. Mais peut-être vous voyez-vous plutôt comme un prince ou une princesse arabe, réclamant, pour une nuit d'amour, parmi tous ceux et celles qui font partie de son harem, son favori ou sa favorite. Ici, l'esclave sera voilé et vêtu d'un costume de mousseline diaphane. De son côté, le maître ou la maîtresse se parera d'un somptueux habit de satin et de soie. De tout temps, la guêpière a été considérée, tant par les hommes que par les femmes, comme un vêtement des plus affriolants. Enserrant étroitement la taille et le ventre, elle occasionne chez celle qui la porte un certain inconfort. En revanche, elle moule magnifiquement la silhouette, exagérant la rondeur et l'importance du buste et affinant sensiblement la taille. Par son étroitesse, à travers les tensions et pressions qu'elle exerce sur les formes féminines, la guêpière est un réel agent provocateur ; on jurerait qu'elle défie le spectateur de la délier et d'ainsi délivrer ces trésors charnels qu'elle emprisonne. Les femmes qui jugeront ce vêtement trop oppressant pourront se tourner vers le bustier. Tout

aiguilles, noirs également, feront fort bien l'affaire – sans bien sûr oublier le plumeau, pratique tant pour épousseter que pour chatouiller certaines parties sensibles. Si c'est l'homme qui désire jouer le rôle du serviteur, son costume sera alors composé d'un complet noir très austère, d'une cravate ou d'un nœud papillon noir et de gants blancs. Il se munira également d'un plateau sur lequel il servira tout article que réclamera Madame – tasse de thé, champagne, fouet, menottes, etc. Si vos vues sont moins aristocratiques, plus prolétaires, un petit scénario patron/employé sera davantage dans vos cordes. En ce cas, mettez un tailleur ou un complet sobre, d'allure très professionnelle, mais qui cachera des dessous sexy que votre « patron » ou votre « employé » découvrira avec plaisir. Qui sait, peut-être baiserez-

*Par son étroitesse,
à travers les tensions
et pressions qu'elle exerce
sur les formes féminines,
la guêpière est un réel
agent provocateur.*

Le complet sobre et austère de monsieur est le pendant parfait de la tenue affriolante de madame.

comme la guêpière, ce dernier épouse, rehausse les formes... et s'efforce de révéler ce qu'il prétend couvrir. Ces deux types de dessous laissent quiconque les contemple dans un état d'expectative quasi intolérable. Les grands symboles sexuels, de Marlene Dietrich à Madonna, ont corseté nos désirs de ces alléchants objets, tant sur la scène et à l'écran qu'entre les pages des magazines. En vérité, peu d'hommes peuvent résister à ces parures féminines débordantes de sensualité. Et les femmes qui les portent, elles, invariablement se sentent irrésistibles.

◆ UN LOOK D'ENFER

De ces légers scénarios de maître/esclave, il n'y a qu'un pas à franchir pour se retrouver dans l'univers de la domination. Au chapitre 5, je vous exposerai en détail certains scénarios de domination et je vous dirai où trouver les accessoires nécessaires à leur exécution. Pour l'instant, nous traiterons strictement de la tenue requise pour ce type de jeu sexuel. Ici, l'un de vous sera le dominateur et l'autre, le dominé. Le rôle de ce dernier est d'obéir avec promptitude, servilité et exactitude aux ordres proférés par le maître ou la maîtresse. Plus que dans tout autre fantasme, l'habillement viendra ici souligner le rôle de chacun. Ainsi, le dominateur doit paraître menaçant, agressif, inflexible. Sa couleur de prédilection sera le noir et ses vêtements seront extrêmement moulants, taillés dans un matériau lisse et brillant. La dominatrice se harnachera de hautes bottes en *PVC* ou de cuir, de collants ou de bas noirs en lycra et d'une minijupe en cuir ou en *PVC*. Pour compléter l'uniforme, elle portera un bustier dont la partie supérieure sera soit en caoutchouc moulant, soit composée d'un harnais de cuir ou d'une cotte de maille. Si le dominateur est un homme, il se tournera également vers des vêtements moulants et de couleur sombre. Ici encore, les matériaux de prédilection seront les chaînes, le lycra, le caoutchouc, le cuir et le *PVC*. Quel que soit leur sexe, les dominateurs seront armés d'un martinet ou d'une cravache. Ils assujettiront leur victime à l'aide de menottes, de cordes ou de lanières de cuir. Mais la réelle marque de commerce du dominateur est le masque. Fait de cuir ou de *PVC*, le masque a pour office d'inspirer la terreur. Il peut couvrir entièrement ou partiellement le visage et sera traversé d'inquiétantes fermetures éclair.

L'habillement du dominé, quant à lui, mettra en évidence sa vulnérabilité. Il doit être fabriqué dans un tissu mince et fragile afin que l'on puisse aisément le déchirer et ne doit fournir à celui qui le porte aucune

protection, aucun moyen de se soustraire à la fureur du maître. Généralement, le dominé portera un string, c'est-à-dire un caleçon qui laisse ses fesses exposées de manière à ce que le dominateur puisse le fouetter, le cravacher à loisir.

❧ L'ART DE SE TRAVESTIR

Une autre façon de s'habiller pour le sexe est de se travestir, c'est-à-dire de s'affubler de vêtements destinés au sexe opposé. Bien des hommes trouvent excitant de voir leur amoureuse porter une de leurs chemises ou un de leurs pantalons. Et que dire de lui se glissant dans la robe préférée de sa petite amie ? Passez un bon moment à rigoler ensemble en vous parant des trésors que contient la garde-robe de l'autre. Admirez votre partenaire vêtu de pied en cap de vos ensembles et tenues favorites – sous-vêtements compris, bien évidemment ! Chacun pourra ensuite sensuellement déshabiller l'autre, ce qui constituera un excellent prélude à l'amour. Se travestir peut également faire partie d'un scénario de fantasme : jouant le rôle d'une personne du sexe opposé, chacun s'efforcera d'agir comme l'autre le ferait, d'éprouver les mêmes sensations que lui. Qui sait, peut-être prendrez-vous goût à revêtir les vêtements de votre partenaire. Tant que vous ne tenterez pas l'expérience, vous ne saurez pas si ce plai-

Chez certaines personnes, le désir sexuel est intimement lié à une pièce de vêtement, à un tissu ou matériau spécifique.

Plaisir sensuel tout de cuir et de caoutchouc.

sir très particulier vous convient ni s'il fera le bonheur de votre couple.

L'habillement est un moyen simple et efficace de mettre du piquant dans votre vie amoureuse. Chez certaines personnes, le désir sexuel est intimement lié à une pièce de vêtement, à un tissu ou matériau spécifique. Ainsi, les talons aiguilles constituent pour bien des hommes un puissant aphrodisiaque. Il y a plusieurs raisons à cela, l'une d'elles étant que le talon aiguille allonge la jambe et met en évidence la musculature du mollet et de la cuisse. Beaucoup d'hommes vouent d'ailleurs au talon aiguille un intérêt relevant du fétichisme. On dit que cette obsession puise son origine de la petite enfance : aux pieds de sa mère, le nourrisson a fait l'expérience de certains stimuli marquants qui seront irrévocablement liés aux chaussures de cette dernière. Les premières expériences sensuelles de la petite enfance peuvent ainsi nous mener à priser un type de contact sensoriel par-dessus tout autre. Certaines personnes seront excitées par un type d'étoffe en particulier justement parce que, poupons, elles furent

Peu d'hommes sauraient résister à une femme portant des talons aiguilles.

agréablement emmaillotées dans ce tissu. Il n'y a aucun mal à éprouver de légères envies fétichistes… tant que ces envies ne deviennent pas une obsession qui viendra obnubiler les autres aspects de votre vie sexuelle. Vous aimez que votre partenaire porte des bottes à talons aiguilles au lit parce que ça vous excite ? Pas de problème, du moment que cet accessoire constitue un élément complémentaire à vos ébats. Les choses se gâtent lorsque cet élément devient instrument essentiel, lorsque votre excitation sexuelle dépend de sa seule présence. Il sera alors temps pour vous de vous faire soigner, car vous avez un problème de taille.

moments, plus langoureux quoique non moins passionnés, où l'on désire plutôt exciter son partenaire en se déshabillant lentement devant elle ou lui. Bref, il y a des moments qui prêtent au *strip-tease*.

L'anglicisme *strip-tease* est un amalgame des verbes *strip*, qui veut dire déshabiller, et de *tease*, qui signifie exciter sexuellement. Il ne s'agit donc pas simplement de se dévêtir, mais de le faire de manière à plonger l'autre dans un état d'anticipation, d'excitation élevé. Le *strip-tease* est comme un cadeau d'anniversaire, comme un colis reçu inopinément : plus il prend de temps à déballer, et plus grande sera notre fièvre, notre impatience à découvrir son con-

Quelle femme saurait résister à un langoureux strip-tease de son homme ?

◆ LE *STRIP-TEASE*

Est-ce la honte qui poussa Adam et Ève à se couvrir ? Peut-on prétendre que, influencés par le péché originel, ils réalisèrent soudain qu'un habillement sommaire suggère davantage la nudité que la nudité elle-même ? En somme, on pourrait dire qu'avec le vêtement naquit l'érotisme. Cela dit, il ne suffit pas de s'habiller sexy pour exciter son partenaire : encore faut-il savoir se déshabiller ! Il y a de ces moments où l'on a envie de déchirer la chemise de notre amoureux, d'arracher la robe de l'élue de notre cœur avant de baiser sauvagement sur le lit, sur la moquette du salon ou sur la table de la cuisine. Puis il y a d'autres

tenu. Ainsi, il est important d'amorcer un *strip-tease* en étant bien emballé, c'est-à-dire vêtu le plus complètement possible. Mettez votre partenaire dans l'ambiance en peaufinant l'éclairage et en choisissant une musique d'accompagnement adéquate. Gants, chapeau, cravate, foulard, endossez la panoplie complète, même – et surtout – si vous ne portez pas habituellement de tels accessoires. Le niveau de frénésie qu'atteindra votre auditoire dépendra en grande partie de la durée du spectacle, donc du nombre de pièces de vêtement avec lequel vous débuterez. Déshabillez-vous un effet à la fois, de façon sensuelle et suggestive. L'ordre dans lequel

Le niveau de frénésie qu'atteindra votre auditoire dépendra de la durée du strip-tease, donc du nombre de pièces de vêtement avec lequel vous débuterez.

vous ferez cela est capital. L'homme qui retirera son pantalon avant chaussures et chaussettes paraîtra plus ridicule qu'excitant ; par contre, la femme obtiendra l'effet contraire en conservant plus longtemps ses chaussures et ses bas. Il est également bon de bouleverser un peu l'ordre naturel du désha-billage. Par exemple, on gardera un chapeau jusqu'à la toute fin, on retirera sa chemise avant sa cravate, etc. Bougez, dansez sensuellement en harmonie avec la musique. Une fois que vous aurez enlevé un vête-ment, laissez-le pendre autour de votre cou ou sur vos épaules ; ou encore, glissez-le entre vos jambes et imprimez-lui un mouvement de va-et-vient à la fois provocateur et lubrique. Lancez ensuite ce vêtement à votre partenaire, puis sollicitez sa participation en l'invitant à retirer avec ses dents une pièce maîtresse de votre habillement. Vous pouvez également la convier à tenir l'extrémité de votre ceinture ou de votre cravate alors que vous la désenfilez en pivotant sur vous-même. Paradez devant elle, suscitez sa convoitise en vous en approchant, puis en vous esquivant dès qu'elle fait mine de vous toucher ; enflammez sa passion en vous frottant lascivement contre une lampe, une porte ou contre l'accoudoir d'un fauteuil. Lorsque vous ne serez plus couvert que d'une seule et minuscule pièce d'habillement, invitez votre partenaire à vous enduire d'huile à massage ou de talc, puis mettez un terme au supplice en vous dénudant enfin entièrement. Jusqu'au dernier instant, cepen-

lorsque lesdites chaussettes sont de couleur sombre ou à motifs rigolos. Messieurs, si vous avez tendance à retirer vos chaussettes en dernier et que, pour une raison ou une autre, vous ne pouvez vous défaire de cette habitude, atténuez l'effet navrant de la chose en vous en procurant de couleur claire ou d'aspect moins saugrenu. En fait, il n'est pas du tout déplaisant de voir un homme simplement vêtu de chaussettes blanches assorties à un slip d'allure sport. Il n'y a pas que les gays qui aiment ce look : les femmes aussi !

Maquillez-vous de façon qu'il songe au sexe simplement en vous regardant.

dant, vous pouvez dissimuler l'essentiel derrière un chapeau, un voile ou, pour la femme, un éventail.

Le *strip-tease* est un moyen quasi infaillible d'exciter un partenaire. Même si vous ne vous sentez pas d'attaque pour exécuter un effeuillage en bonne et due forme, il serait néanmoins bon que vous respectiez certaines règles lorsque vous vous déshabillez. Pour les hommes comme pour les femmes, la directive première est de songer d'abord à l'ordre dans lequel chaque vêtement sera retiré, puis à la façon de faire la chose de manière à vous avantager. Comme je l'ai déjà mentionné, il n'est de vision moins esthétique, moins affriolante que celle d'un homme nu en chaussettes. La chose s'avère d'autant plus ridicule

◆ LA TOUCHE FINALE

S'habiller sexy est une chose, mais il ne faut pas pour autant en oublier nos atouts naturels. La chevelure, par exemple. Le fait que la plupart des sociétés puritaines exigent des femmes qu'elles couvrent leur chevelure est une bonne indication de l'impact sensuel que possède cette partie de notre anatomie. Quant à la pilosité masculine, les avis sont partagés : certaines femmes adorent les hommes fortement poilus, alors que d'autres ne peuvent souffrir moustaches, barbes et poils. Messieurs, il est important que vous demandiez à votre partenaire sa préférence. Qui sait, une barbe de quelques jours fera peut-être des merveilles pour votre vie sexuelle. En revanche, l'homme dont la compagne rêve de caresser une peau satinée, un torse glabre, fera bien de recourir au rasoir ou, mieux encore, à une crème dépilatoire. Ceux qui n'ont pas froid aux yeux et dont l'amour pour leur petite amie est sans limite se feront épiler à la cire chaude – douloureux, mais efficace! La plupart des hommes aiment les cheveux longs. Mesdames, si cela ne vous botte guère d'avoir à entretenir quotidiennement une volumineuse crinière, orientez sciemment l'appétit pilaire de votre partenaire vers une autre partie de votre anatomie. Bien des peuples considèrent la pilosité corporelle féminine comme étant indésirable et même rebutante. Toutefois, par-delà ses évidentes références à la masculinité, la pilosité a quelque chose de foncièrement animal. L'amante qui cherche à éveiller la bête sauvage en lui pourra s'abstenir, pour un temps du moins, de se raser les aisselles; ou encore, elle laissera pousser ses poils pubiens. Il est cependant impératif de consulter son partenaire avant de se livrer à des transformations de ce genre. Chacun, en la matière, a ses préférences. Certains hommes perdront la tête à la vue d'une vulve entièrement rasée, tandis que d'autres préféreront une toison plus fournie – ou finement taillée en forme de cœur, par exemple. Bon nombre de femmes ressentiront un émoi certain à la vue de parties génitales mâles dépouillées de tout poil. Alors que, chez la femme, l'épilation des parties génitales évoque l'époque prépubère et donc la fraîcheur de la jeunesse, chez l'homme, elle a pour effet de grossir, à tout le moins en apparence, pénis et scrotum. En effet, une fois rasées, les parties génitales de l'homme paraissent sensiblement plus volumineuses.

L'impact du maquillage n'est pas non plus à négliger; il constitue en vérité un témoignage frappant de vos intentions sexuelles. Depuis leur apparition, il y a de cela plus de 5000 ans, des centaines de civilisations ont eu recours aux cosmétiques pour embellir ce que la nature a imparfaitement créé. Et chaque peuple avait ses méthodes: les Grecques de l'Antiquité se fardaient de plomb blanchi, d'antimoine et d'extraits d'algues marines; du temps de l'Empire, les Romaines utilisaient un maquillage à base de bois de cerf pilés et de miel; dans l'Égypte antique, les femmes employaient des accoudoirs spéciaux qui les empêchaient de bouger pendant qu'elles se faisaient maquiller.

♦ LE SECRET DU MAQUILLAGE

Par-delà sa fonction esthétique, le maquillage a de tout temps été utilisé comme indicateur des intentions sexuelles de la personne qui le porte. Vous serez sans doute étonnés d'apprendre qu'à Rome, sous le règne de Néron, les hommes et les femmes dont la spécialité était la fellation se fardaient les lèvres d'un rouge très vif. Aujourd'hui, peu de gens connaissent la raison pour laquelle nous assombrissons nos paupières, empourprons nos lèvres et nos joues. En réalité, le but premier du maquillage n'est pas de rehausser notre beauté. Mesdames, la prochaine fois que vous serez excitées sexuellement, étudiez votre reflet dans un miroir et notez les changements qui s'opèrent sur votre corps, sur votre visage. Vous observerez que vos pupilles sont dilatées, ce qui fait paraître vos yeux plus grands et plus sombres qu'ils ne le sont réellement. Vos joues, vos lèvres ainsi que les lobes de vos oreilles sont rougis et gonflés. Ce sont ces manifestations du désir que le maquillage cherche à reproduire. En somme, on peut dire que l'objet du maquillage est de simuler l'excitation sexuelle chez la femme afin de la provoquer chez l'homme. Si vous désirez maximiser l'effet stimulateur de votre maquillage, observez-vous une nouvelle fois dans la glace quand vous êtes excitée sexuellement, puis, lorsque vous vous maquillerez, tentez de calquer les changements que vous percevez. Songez également qu'il n'y a aucune raison de s'en tenir aux endroits traditionnels. Pourquoi ne pas aviver la couleur de vos mamelons et légèrement farder les lobes de vos oreilles, l'intérieur de vos narines, votre poitrine? Maquillant judicieusement ces parties de votre corps, vous signifierez à votre partenaire à quel point il vous excite.

Par-delà sa fonction esthétique, le maquillage a de tout temps été utilisé comme indicateur des intentions sexuelles de la personne qui le porte.

Bien que, de nos jours, le maquillage soit davantage affaire de femmes, cela ne veut pas dire que l'homme doit se priver pour autant de ses effets stimulateurs. De fait, au cours des siècles, il a été employé indifféremment par les deux sexes, ce qui n'a rien d'étonnant si l'on considère que l'excitation sexuelle produit chez l'homme les mêmes phénomènes physionomiques que chez la femme. Néron, pour en revenir encore une fois à lui, était connu pour son usage outrancier du fard à paupières. Dans le *Kama Sutra*, on nous révèle que le rituel matinal de l'homme de bien consistait à s'oindre en quantité modérée d'onguents et de parfums, puis de se farder les paupières de collyre et de se colorer les lèvres avec de l'alacktaka, pigment tiré d'un type de laque. Aux XVIIIe et XIXe siècles, perruques et mouchoirs parfumés n'étaient nullement l'apanage des femmes. Ces parures, loin de diminuer la virilité des hommes qui les portaient, leur permettaient de se pavaner et d'afficher leurs prétentions sexuelles au même titre que la femme.

Dans nos tentatives de soulever le désir de l'autre, il ne faut pas sous-estimer l'importance du parfum. À preuve cette réplique célèbre de Marilyn Monroe à qui on demandait ce qu'elle portait au lit et qui répondit :

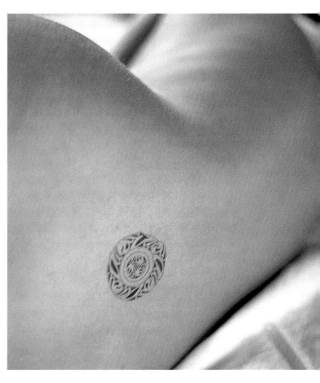

Un tatouage destiné au seul regard de votre partenaire constitue un plaisir secret et érotique.

L'attrait que confère le maquillage est, par sa nature même, temporaire. Un tatouage, en revanche, constitue une parure imbue d'un petit goût d'éternité. Exécuté avec goût et stratégiquement situé, il peut s'avérer fort érotique.

« Du Chanel N° 5. » Parfums, eau de toilette et eau de Cologne sont autant de voluptés olfactives susceptibles d'éveiller cette passion qui sommeille en votre partenaire. En fait, il est recommandé de laisser l'être aimé choisir lui-même la fragrance qui, sur vous, excitera davantage sa sensualité. Après tout, c'est pour la griser elle, pour l'émouvoir lui que vous porterez celle-ci. Sans doute serez-vous étonné de découvrir que le parfum qu'il ou elle choisira pour vous se rapproche étrangement de l'odeur corporelle que vous dégagez lorsque vous êtes excitée. Au lit, les délicates senteurs florales, les charmants parfums printaniers ne produiront pas nécessairement l'effet recherché. Qui plus est, certaines personnes obtiendront de meilleurs résultats en ne se parfumant pas du tout avant un rapport sexuel. En soi, la transpiration n'est pas une chose particulièrement agréable ou érotique. Cependant, lorsque mélangée à une bonne dose de phéromone, cette substance chimique sécrétée par le corps et qui agit sur l'autre comme un excitant sexuel, la sueur prend un tout autre aspect. Si vous êtes de ceux ou de celles dont l'odeur corporelle peut soulever les passions, mettez parfums et lotions après-rasage de côté et laissez la nature faire son œuvre. Faites bien sûr votre toilette afin d'éliminer cette vieille sueur rance qui sent mauvais, mais ne bridez pas ensuite l'action des phéromones en appliquant quelque

Ci-contre : Excitez vos sens en vous maquillant de manière sensuelle et en vous parant d'étoffes somptueuses.

parfum ou déodorant que ce soit. Cette odeur qui vous est propre aura sans doute sur votre partenaire un effet beaucoup plus marqué que toutes ces coûteuses essences artificielles.

L'attrait que confère le maquillage est, par sa nature même, temporaire. Un tatouage, en revanche, constitue une parure imbue d'un petit goût d'éternité. Exécuté avec goût et stratégiquement situé, il peut s'avérer fort érotique. Lorsque votre partenaire découvrira ce papillon, ce délicat petit oiseau voletant sur votre hanche, sur votre fesse ou à l'orée de votre toison pubienne, il ne fait aucun doute qu'il en sera à la fois ému et émoustillé. Avant de vous faire tatouer, informez-vous de la réputation du tatoueur. Il ne suffit pas en effet que celui-ci maîtrise son art, il doit également faire preuve dans l'exercice de son

férents types de sous-vêtements spécifiquement conçus pour avantager la silhouette. La femme qui veut affiner sa silhouette misera sur des matériaux synthétiques modernes tels que le nylon et le lycra.

De façon plus radicale, on peut améliorer son apparence physique par le biais de la chirurgie esthétique. Ici, le bistouri fait office de baguette magique, engendre de miraculeuses transformations limitées par la seule situation financière du client. Liftings, remodelage du nez et des oreilles, resserrement des muscles abdominaux et fessiers, toutes ces opérations sont aujourd'hui monnaie courante – on peut même changer l'aspect de ses parties génitales ! Puis il y a ces populaires implants, ces pochettes de silicone qui sont insérées entre muscles pectoraux et tissus mammaires afin de rendre la poitrine des femmes plus

Un entraînement très personnalisé.

métier d'une hygiène irréprochable. Et songez que le résultat sera permanent. Même les techniques laser modernes ne peuvent totalement oblitérer l'œuvre du tatoueur. Un tatouage, c'est pour la vie. C'est pourquoi il vaut mieux commencer petit et réfléchir avant de se lancer dans l'aventure.

♦ LA GRANDE FORME

Vêtements, maquillage, tatouage et *piercing* contribuent certes à notre sensualité, mais il ne faut pas négliger pour autant notre corps lui-même. La façon la plus saine d'atteindre un certain idéal physique est sans contredit d'adopter un régime alimentaire équilibré et de s'adonner à des séances régulières d'exercice. Si vous ne parvenez pas à cet idéal avec fruits frais et conditionnement physique, vous pourrez faire appel à dif-

volumineuse. Même si, comme on le prétend, une telle opération ne devrait en rien diminuer la sensibilité des seins, au bout du compte l'avantage s'avère bien souvent davantage visuel que tactile. En effet, une fois les tissus cicatrisés, la poitrine ainsi rehaussée devient parfois aussi dure que du ciment. Alors que l'on cherchera par celle-ci à augmenter certains attributs physiques, on fera également appel à la chirurgie esthétique pour en diminuer d'autres. Non seulement la taille d'une poitrine trop volumineuse peut être réduite, mais on peut également aspirer la graisse excédentaire des hanches, des cuisses et de toute autre partie du corps à l'aide de la « liposuccion ». Mais que ceux et celles qui songent recourir à ces méthodes afin de changer leur apparence se le tiennent pour dit: la chirurgie esthétique n'est pas

La façon la plus saine d'atteindre un certain idéal physique est sans contredit d'adopter un régime alimentaire équilibré et de s'adonner à des séances régulières d'exercice.

une solution miracle. Même qu'elle présente de nets désavantages. Si, après mûre réflexion, vous optez malgré tout pour la voie du bistouri, cherchez d'abord conseil auprès de votre médecin de famille. Il saura vous orienter vers un chirurgien ou vers une clinique de bonne réputation.

Chapitre 4

LES ACCESSOIRES
SEXUELS

L a sexualité humaine comporte des niveaux d'expérimentation multiples. Nul n'est besoin de se lancer dans des pratiques abracadabrantes pour donner du piquant à notre vie sexuelle ; il suffit parfois de quelques bougies et d'une musique douce pour nous mettre dans l'ambiance. Ceux qui voudront explorer des avenues plus exotiques, pourront le faire à l'aide d'accessoires sexuels.

Bien que, de nos jours, ils ne choquent plus personne, ces objets continuent d'exercer sur nous une singulière fascination qui tient sans doute à cette promesse de plaisirs inédits, de rupture dans notre train-train sexuel habituel. Au bout du compte, l'accessoire sexuel est un outil à la portée de tous. Nombreux sont les couples qui ont recours à eux pour égayer leur vie amoureuse.

L'origine de l'accessoire sexuel remonte à des siècles, sinon à des millénaires. Des tableaux et textes japonais, grecs et babyloniens anciens témoignent de l'utilisation de godemichés faits d'ivoire, de bois et même de verre. Les

choses ont largement progressé depuis, si bien qu'aujourd'hui, le consommateur en mal de sensations sexuelles pourra choisir parmi une panoplie complète de vibromasseurs, de boules de geisha, de pompes à succion, de crèmes toniques et d'anneaux destinés à prolonger l'érection.

De tous les accessoires sexuels, le vibromasseur est de loin le plus connu. Cet objet électrique vibre vivement, rythmiquement, et, lorsque pressé contre une partie du corps, produit une sensation à la fois agréable et stimulante. Il existe plusieurs variétés de vibromasseurs. Certains fonctionnent à piles, d'autres se branchent sur le courant alternatif. La plupart ont la forme d'un phallus et seront tantôt minces et courts (10 cm de long pour 2 cm de diamètre), tantôt longs et massifs (15 à 20 cm de long pour 5 cm de diamètre). On en trouve des lisses, faits de plastique ou au fini métallique, et d'autres dont la surface texturée est soit torsadée, soit couverte de picots. D'autres encore bénéficient d'un fini latex imitant la texture souple et caoutchouteuse de la peau. Ceux-là sont généralement parcourus de veines, tout comme un vrai phallus. Il en est également qui sont façonnés dans un nouveau type de matériau gélatineux, à la fois ferme et élastique, incroyablement proche en couleur et en consistance d'un pénis humain. Certains de ces vibromasseurs en forme de phallus arborent à leur base des protubérances destinées à stimuler le clitoris. On trouvera également des vibromasseurs à l'extrémité incurvée, spécialement conçus pour stimuler le point G. (Situé sous la paroi abdominale, environ aux deux tiers de la profondeur totale du vagin, le point G est censé provoquer chez la femme, lorsque stimulé, de puissants orgasmes accompagnés d'une forte décharge liquide.) Il y a aussi des vibromasseurs doubles

Un plaisir pour la femme, mais aussi pour l'homme.

♦ AUTRES TYPES DE VIBROMASSEURS

Tous les vibromasseurs n'ont pas la forme d'un phallus. Certains, conçus pour épouser les contours de la vulve, évoquent une plaquette oblongue que l'on pressera contre les lèvres vaginales et le clitoris. D'autres ressemblent à de petits œufs. Celles qui aiment se faire lécher mais dont le partenaire est peu doué pour le cunnilingus apprécieront les vibromasseurs en forme de langue : en plus de vibrer, ces petites merveilles se tortillent délicieusement une fois activées.

Il est vrai que la majorité des vibromasseurs sont conçus à l'intention d'une clientèle féminine mais il existe deux types de vibromasseurs spécifiquement élaborés à votre usage. Le premier a la forme d'un losange et s'arrime au pénis à l'aide d'un anneau. Une fois activé, il vibrera contre la tige du pénis ou contre le scrotum. On pourrait qualifier le second type de vibromasseur pour hommes de « vagin artificiel ». Il s'agit en fait d'un tube de caoutchouc ou de latex dont l'embout a la forme d'un sexe féminin ; l'intérieur de ce tube est doublé de latex à surface lisse ou texturée.

Maintenant que vous connaissez les différents types de vibromasseurs, il est temps de discuter de leur fonctionnement et de leur

Le vibromasseur se prête merveilleusement au plaisir solitaire, à l'exploration sensorielle de notre propre corps, mais on peut tout aussi bien l'utiliser en compagnie d'un partenaire, soit pour se stimuler soi-même, soit pour donner du plaisir à l'autre.

dont une tige est destinée à être insérée dans le vagin et l'autre dans le rectum. Outre leur action vibratoire, certains vibromasseurs sont également animés d'un mouvement rotatif. D'autres encore, dotés d'un réservoir, seront remplis d'un liquide que l'on fera gicler au moment opportun dans le but de donner à celui ou celle qui l'utilise une sensation d'éjaculation.

mode d'emploi. Quant au fonctionnement, le principe est fort simple : à l'intérieur du vibromasseur se trouve un petit moteur électrique qui imprime à l'appareil son action vibratoire caractéristique. Certains sont même munis d'un réglage de vitesse leur permettant de vibrer à une fréquence plus ou moins rapide. Le vibromasseur se prête merveilleusement au plaisir solitaire,

à l'exploration sensorielle de notre propre corps, mais on peut tout aussi bien l'utiliser en compagnie d'un partenaire, soit pour se stimuler soi-même, soit pour donner du plaisir à l'autre. Son usage le plus courant étant de remplacer le pénis, c'est surtout la femme qui l'emploiera pour se stimuler en l'insérant dans son vagin – du moins c'est ce que veulent nous faire croire dans leur documentation la majorité des détaillants d'accessoires sexuels. Mais, tout comme le pénis, le vibromasseur ne sert pas qu'à la pénétration. Il existe en fait une myriade de façons d'employer cet instrument et d'en tirer du plaisir. Il s'avérera un outil précieux pour tout couple friand de variété dans sa vie sexuelle, pour tout partenaire soucieux d'apprendre et de comprendre ce qui excite l'autre. Et comme le vibromasseur dispense ses bienfaits sans trop physiquement solliciter son utilisateur, les personnes qui éprouvent des difficultés motrices reliées à une maladie ou à un handicap physique majeur gagneraient également à l'employer.

❦ UTILISATION DU VIBROMASSEUR

La première chose à faire une fois que l'on a décidé de se procurer un vibromasseur est de déterminer lequel

est le mieux adapté à nos désirs et à nos besoins. Ceux qui sont en forme de plaquette et que l'on presse contre la vulve ont l'avantage de laisser les mains libres, ce qui vous permettra de caresser et de stimuler votre clitoris même pendant que vous les utilisez. Bien que conçus spécifiquement pour ces messieurs, les vibromasseurs en losange avec anneau fixatif peuvent être actionnés pendant le coït, faisant ainsi la joie des deux partenaires. Chaque variété a ses bons côtés, mais les vibromasseurs en forme de pénis sont de loin les plus populaires et les plus amusants, tant pour les hommes que pour les femmes.

Débutez la séance bien au chaud, dans un endroit confortable et à l'abri des interruptions. Réglez votre vibromasseur à sa vitesse la plus basse, puis caressez-vous avec lui, commençant par de brefs contacts avec les parties génitales et les mamelons pour passer ensuite au corps entier. Faites comme s'il s'agissait de votre main ou de celle de votre partenaire et caressez l'intérieur puis l'extérieur de vos cuisses, de vos bras; pressez-le contre votre dos, votre ventre, votre poitrine. Répétez ensuite ces attouchements, mais cette fois à l'intention de votre partenaire. Une fois que vous l'aurez bien chou-

chouté, confiez-lui le vibromasseur et laissez-le se toucher lui-même d'abord et vous ensuite. Maintenant, réglez l'instrument à une vitesse supérieure et recommencez l'exercice en vous concentrant sur les touchers que vous et votre partenaire estimez être les plus plaisants. Passez ensuite aux zones érogènes les plus importantes, soit les lobes de l'oreille, les lèvres, la nuque, la saignée du coude et celle du genou. Couronnez le tout d'une stimulation approfondie des parties génitales – vulve, clitoris, pénis, scrotum – ainsi que de la région anale. Si vous disposez d'un vibromasseur pouvant être utilisé dans l'eau, tentez l'expérience dans la baignoire ou sous la douche, vous savonnant bien tout au long de l'exercice afin de rendre votre peau délicieusement glissante.

Chez la femme, c'est une stimulation de la vulve et du clitoris qui produira le plus d'effet. Chez l'homme, les points les plus sensibles seront généralement la verge et le gland. Cela dit, chaque individu ayant ses différences, il aura également ses préférences. Tous ne réagiront pas nécessairement de la même façon à la caresse du vibromasseur. Le tout est que vous et votre partenaire expérimentiez afin de découvrir ce qui vous plaît spécifiquement à l'un et à l'autre.

◖ QUELQUES CONSEILS

Pour votre propre sécurité, n'utilisez jamais un vibromasseur dans l'eau ou à proximité de l'eau à moins qu'il ne soit expressément conçu à cet effet. Assurez-vous de *toujours* avoir des piles de rechange sous la main. Si vous apportez votre vibromasseur avec vous en voyage, retirez les piles au préalable afin d'éviter qu'il ne s'active de lui-même, inopinément ; son bourdonnement pourrait attirer l'attention d'un douanier peu discret qui se fera une joie de vous embarrasser.

Débutez la séance bien au chaud, dans un lieu confortable et à l'abri des interruptions.

Hygiène et vibromasseurs vont de pair. Ainsi, il est recommandé de recouvrir le vôtre d'un condom si vous comptez le partager avec une autre personne. La chose devient impérative si l'un de vous est atteint d'une infection ou d'une maladie vénérienne. Même si vous êtes absolument certain de ne souffrir d'aucune maladie sexuellement transmissible, sachez que certaines affections, plus connues ici comme la candidose, bien que n'étant pas à proprement parler des maladies vénériennes, n'en sont pas moins transmissibles sexuellement. Il est bon de savoir que les symptômes de la candidose ne seront jamais apparents chez l'homme, mais qu'un partenaire masculin peut être porteur du parasite et donc transmettre ce type d'infection. Bien souvent, les femmes qui contractent des candidoses répétées ne réalisent pas que c'est l'homme avec qui elles ont des rapports sexuels qui est à l'origine de ces affections. L'usage du condom est également obligatoire sur un vibromasseur dont on se sert pour une satisfaction anale. Il y a dans le rectum des micro-organismes que l'on doit éviter d'introduire dans le vagin ou dans le canal urinaire de l'homme et de la femme. Une femme saine qui ne souffre d'aucune infection ou maladie sexuellement transmissible peut s'infecter elle-même en insérant indifféremment et sans protection un vibromasseur dans son rectum puis dans son vagin.

◖ AUX OBJETS PERDUS

Ce n'est qu'avec le plus grand soin que l'on insérera un objet dans un des orifices de notre corps. Le col de l'utérus étant toujours très étroitement fermé, il est pour ainsi dire impossible de « perdre » un vibromasseur dans son vagin. Néanmoins, il est concevable qu'un objet introduit là y reste coincé. Quand une femme devient excitée sexuellement, sa paroi vaginale s'élargit, enfle comme un ballon, ce qui crée un effet de succion. Plus forte est l'excitation et plus important est ce mouve-

Tous ne réagiront pas nécessairement de la même façon à la caresse du vibromasseur. Le tout est que vous et votre partenaire expérimentiez afin de découvrir ce qui vous plaît spécifiquement à l'un et à l'autre.

Même un glaçon peut se transformer en accessoire sexuel...

ment d'aspiration vers l'intérieur de son corps. Ainsi, tout objet de petite taille et qui n'est pas arrimé à quoi que ce soit à l'extérieur du corps peut être complètement aspiré dans le vagin. Après l'orgasme, lorsque la paroi vaginale se resserrera, l'objet se logera derrière l'os pubien et deviendra dès lors extrêmement difficile

à récupérer. C'est pourquoi vibromasseurs et godemichés de fortune sont à déconseiller. Il peut paraître tentant – et économique – de se donner du plaisir avec le couvercle lisse et arrondi d'un déodorant en bâton ou encore avec une brosse à dents électrique, toutefois ces objets sont plus courts et plus difficiles à tenir fermement en main qu'un vibromasseur, d'où la possibilité de les perdre dans le vagin ou le rectum. Dans le dernier cas, les risques sont encore plus grands. Il ne faut pas oublier que le rectum représente l'ultime portion d'un long tube qui va de la bouche à l'anus ; y perdre un objet pourrait avoir des conséquences pour le moins désastreuses.

⚜ LES BOULES DE GEISHA

D'autres accessoires sexuels, outre vibromasseurs et godemichés, sont également dignes de mention. Les boules de geisha font partie de ceux-là. Il s'agit de deux sphères creuses reliées ensemble par une cordelette. Ces sphères contiennent habituellement des billes ou des poids de petite taille qui bougent librement à l'intérieur. Insérées dans le vagin, les boules de geisha sont censées garder la femme dans un état d'excitation sexuelle aigu et prolongé pouvant aller jusqu'à l'orgasme. Effectivement, ce mouvement, cette légère mais constante pression qu'elles exercent stimulent l'ensemble de ce réseau neurologique qui part du clitoris et court le long des parois vaginales. Après les avoir introduites dans le vagin, on peut continuer de vaquer à ses occupations habituelles, à la différence que chaque mouvement du corps fera bouger les billes qui sont nichées à l'intérieur des sphères. Au fil de la journée, la sensation que procurent les boules de geisha deviendra de plus en plus intense. Certaines femmes ne jurent que par elles, prétendant qu'elles ont grandement contribué à l'amélioration de leur vie sexuelle. D'autres affirment à l'inverse que cet accessoire ne leur donne aucun plaisir, qu'en fait la sensation qu'il procure est plutôt agaçante, comme de porter un tampon hygiénique qui ne tiendrait pas en place. Si vous êtes du camp des enthousiastes, vous utiliserez les boules de geisha pour le plaisir qu'elles apportent en elles-mêmes ou pour vous exciter avant de vous masturber. Vous pouvez également faire d'elles une partie intégrante de vos préliminaires sexuels ; essayez-les pour vous mettre dans l'ambiance avant de faire l'amour avec votre partenaire.

La plume d'oiseau est un accessoire sexuel agréable, efficace et bon marché. Avec elle, suivez légèrement le tracé des veines sur le corps de votre partenaire : le long des bras, des jambes, dans la saignée du coude et celle du genou, au cou et aux épaules, puis, enfin, sur la poitrine et les parties génitales. Vous pouvez aussi vous munir d'une touffe de plumes très douces avec laquelle vous chatouillerez pénis, clitoris et mamelons.

⚜ ASSURER SES ARRIÈRES

Bien des gens considèrent qu'il n'est de sensation plus intense que la stimulation anale. Pour ces personnes, un vibromasseur entre les fesses représentera tout naturellement le fin du fin. Il existe cependant d'autres accessoires sexuels qui, pour les adeptes des joies anales, ne sont pas à négliger. Les boules anales et le piquet anal sont de ceux-là. Version rectale des boules de geisha, les boules anales peuvent être utilisées par l'homme ou la femme friande de ces sensations. Elles sont composées d'une série de billes de bois, de métal ou de plastique montées sur un fil ou sur une fine tige flexible. Les grains de ce chapelet de volupté sont un à un insérés dans le rectum, puis retirés. Au cours de l'exercice, on donnera de petites chiquenaudes à la tige qui relie les billes, ce qui fera vibrer celles-ci de façon fort stimulante. Au moment de l'orgasme, on intensifiera son plaisir en retirant les boules anales soit lentement, soit soudainement, selon le type de sensation que l'on recherche.

Autre type de stimulateur rectal, le piquet anal ressemble à un godemiché court et trapu. Caractéristique importante, il a une base évasée qui l'empêche d'entrer entièrement dans le rectum. Cet aspect du piquet anal est capital, car contrairement au vagin, la voie rectale se prolonge très loin à l'intérieur du corps, si bien qu'il est relativement aisé d'y insérer complètement un objet et de ne pouvoir ensuite le récupérer. Quel médecin, quelle infirmière ayant travaillé au service des urgences d'un hôpital n'a pas à ce sujet d'incroyables histoires à raconter ? « J'ai donc dit au patient : "Si je comprends bien, vous étiez à la cuisine, à mitonner le pot-au-feu du dîner, lorsque vous avez glissé et que vous êtes tombé sur la bouteille de sauce Worcestershire. Moi, je veux bien vous croire… mais vous ne trouvez pas curieux, tout de même, qu'il y ait un condom dessus ?" »

⚜ COUP DE POMPE

On peut aussi avoir recours aux accessoires sexuels quand l'esprit consent, mais que le corps vacille. Ainsi, pour l'amant qui a du mal à maintenir son érection, il existe des anneaux que l'on glisse le long de la verge jusqu'à la base du pénis. Lorsqu'un homme entre en érection, les vaisseaux sanguins et le tissu spongieux de son pénis s'engorgent de sang, ce qui rend son membre gonflé et rigide. Normalement, le sang devrait y rester jusqu'à ce que l'éjaculation soit passée. Chez certains hommes, cependant, ce n'est pas le cas : le sang étant

À l'aide
d'une plume,
suivez
légèrement
le tracé des
veines sur
le corps
de votre
partenaire :
le long des bras,
des jambes,
dans la saignée
du coude et
du genou,
au cou et aux
épaules, puis,
enfin, sur
la poitrine et
les parties
génitales.

La plume d'oiseau est un accessoire sexuel
agréable, efficace et bon marché.

drainé trop rapidement, l'érection demeure incomplète ou disparaît tout à fait. Mais si, une fois le pénis en érection, on enserre sa base à l'aide d'une bague ou d'un anneau spécialement conçu à cet effet, on inhibera le drainage des vaisseaux sanguins et le phallus restera alors plus rigide, et ce pour une période plus longue. Ces anneaux ou bagues d'érection se déclinent en formes et matériaux divers, allant du cuir au métal, en passant par le caoutchouc.

Le développeur est un autre accessoire destiné aux hommes qui éprouvent des problèmes érectiles. Il s'agit en fait d'une pompe jumelée à un cylindre de plastique dans lequel on insère le pénis. À l'extrémité ouverte de ce cylindre se trouve un embout de caoutchouc conçu de façon à entourer la base du pénis suffisamment étroitement pour créer un système étanche à l'air. L'autre extrémité du cylindre est rattachée à un tube lui-même relié à une pompe manuelle ou électrique. Une fois la pompe activée, l'air contenu dans le cylindre s'en trouve expulsé, ce qui a pour effet de créer un vide qui attire en quelque sorte le sang dans le pénis. Il en résulte généralement une érection plus grosse et plus dure que d'ordinaire. Les commerçants qui vendent ces développeurs promettent un gain de volume permanent, ce qui est faux ; leur effet n'est en réalité que temporaire. À moins que vous n'utilisiez immédiatement une bague à érection pour conserver tout cet excédent de sang à l'intérieur du pénis, votre érection retrouvera sa taille normale dès que vous la retirerez du développeur. Même si vous faites un usage fréquent de cet accessoire, la taille normale de votre pénis ne changera pas pour autant. Cela dit, ce type d'appareil n'en possède pas moins de réelles vertus :

Parfois, seul l'esprit consent.

Gaine de pénis, condom texturé, œil de chèvre et œil de biche sont autant d'articles qui, durant le coït, intensifieront les sensations anales, vaginales et clitoridiennes du partenaire qui se fait pénétrer.

conjugué à une bague d'érection, le développeur viendra vaillamment à la rescousse de l'amant victime de problèmes érectiles.

◆ POUR UNE PLUS VIVE SENSATION

Il existe une vaste gamme de produits destinés à aviver les sensations du partenaire qui, durant le coït, se fait pénétrer : gaine de pénis, condom texturé, œil de chèvre

et œil de biche sont autant d'articles qui intensifieront les sensations anales, vaginales et clitoridiennes. On peut par exemple se procurer une série d'anneaux que l'on glissera autour du pénis et qui, au cours de la pénétration, augmenteront la friction ; grâce à cet article, les parois du rectum et du vagin seront plus fortement stimulées. Certains accessoires sont spécifiquement conçus pour exciter le clitoris. Ces stimulateurs clitoridiens sont généralement composés d'une bague ou de sangles de latex que l'on fixe à la base du pénis et qui sont surmontées d'une protubérance faisant saillie au niveau du pubis de l'homme. Pendant le coït, cette protubérance heurte le clitoris et procure à la femme de vives sensations. Malgré son aspect quelque peu terrifiant, cet accessoire est généralement très apprécié de ces dames. Et puis il y a les extensions de pénis qui, comme leur nom l'indique, sont destinées à accroître le gabarit de l'engin de votre petit ami. Ces extensions ont la forme d'un phallus et se glissent tout simplement par-dessus la verge. Certaines sont douces et spongieuses tandis que d'autres, plus rigides, peuvent être employées pour poursuivre la pénétration lorsque l'homme n'est plus en érection. Bien des amants qui ont peine à maintenir leur érection préfèrent cette solution parce qu'ils ont ainsi le sentiment que c'est eux qui satisfont leur partenaire; ils n'auraient pas cette impression s'ils employaient un vibromasseur ou un godemiché. Autre accessoire intéressant, les doigts chinois sont de petits étuis de caoutchouc cylindriques qui se portent sur les doigts, comme des dés à coudre. Leur surface texturée est couverte de petites bosses et de

picots, ce qui fait d'eux des outils idéaux pour stimuler le clitoris ou la région anale. Prenez garde cependant de ne pas toucher vos parties génitales avec eux après les avoir insérés dans votre anus.

Il existe également sur le marché des accessoires conçus pour ceux qui veulent faire l'expérience des sensations du *piercing*, mais sans l'inconfort et les inconvénients d'un perçage permanent. La plupart des *sex shops* vendent de ces pinces spéciales que l'on referme sur mamelons et parties génitales ou sur toute autre partie du corps que l'on désire ainsi stimuler. Ces pinces sont généralement reliées à une chaîne sur laquelle on tirera par petits coups secs, ce qui produira chez la personne qui les porte de délicieuses sensations.

LOTIONS ET POTIONS

Ceux qui sont en quête d'ingrédients propres à corser leur vie amoureuse pourront également jeter un œil du côté de crèmes, huiles et vaporisateurs à vocation érotique. Certains de ces produits ont le mérite de procurer une sensation de chaleur et de picotement lorsqu'ils entrent en contact avec la peau. Alors que le picotement est causé par des composants chimiques qui provoquent une légère inflammation ou irritation de la peau, la chaleur, elle, provient des mêmes ingrédients contenus dans ces baumes que l'on retrouve en pharmacie et qui sont destinés à soulager les douleurs musculaires. Il n'y a toutefois pas lieu de s'inquiéter, car la quantité de médicament contenue dans les produits à vocation sexuelle est de trois à quatre fois moins importante que dans leurs équivalents pharmaceutiques. Si vous tenez absolument à bricoler votre propre crème stimulante, mélangez un peu de baume médicamenteux à de la lotion pour les mains, mais allez-y avec prudence! Si vous utilisez trop de baume, la sensation de chaleur sera trop intense et donc désagréable.

Alors que certains types de crèmes et de vaporisateurs sont conçus expressément pour fouetter le sang, d'autres ont pour mission de retarder chez l'homme le moment de l'éjaculation. Ces produits contiennent un anesthésique local léger qui engourdit le pénis et permet ainsi à l'homme de prolonger le coït. Le hic, c'est que les sensations sont nettement amoindries. Or, on comprendra aisément que peu d'hommes se réjouiront à l'idée de faire l'amour avec un pénis insensibilisé. Sans

Des lotions et des potions propres à éveiller les sens.

compter qu'une séance qui s'éternise ainsi artificiellement ne fera pas nécessairement la joie de la partenaire : non contente d'en être réduite à compter en bâillant les lézardes du plafond ou les taches sur le tapis, cette dernière pourrait bien souffrir par la suite d'inflammations causées par une friction excessive. Néanmoins, les hommes qui sont victimes d'éjaculation précoce pourraient bien trouver leur compte dans ces crèmes à action retardatrice. Les éjaculateurs précoces sont généralement des personnes dont les premières relations sexuelles se sont avérées furtives, bâclées par la hantise de se faire prendre en flagrant délit de fornication. Au début d'une relation, les hommes qui souffrent de ce syndrome ressentiront une hantise semblable, mais reliée cette fois à la nervosité et à la crainte qu'ils ont de ne pas être à la hauteur. Le souvenir malheureux de leurs brèves étreintes passées se mêlant à la peur panique d'échouer encore une fois, il ne faut pas s'étonner si, chez eux, le phénomène se reproduit *ad nauseam*.

ces produits, et cela afin de réduire encore davantage les chances d'insensibiliser les parties génitales du partenaire. Il est bon de noter que l'ingrédient actif contenu dans les produits à action retardatrice est le même que celui que l'on retrouve dans les médicaments destinés à soulager les irritations mineures de la peau ou le mal de dents. Si l'achat de produits à caractère érotique vous gêne, alors tournez-vous vers ces substituts qui sont disponibles en pharmacie et qui, par ailleurs, sont nettement moins coûteux.

Les huiles et gels lubrifiants sont d'autres types de produit qui peuvent mettre du piquant dans vos ébats amoureux. Enduisez-vous d'eux de la tête aux pieds et votre corps deviendra une luisante invitation au toucher, à la sensualité. On les emploiera également pour faciliter le coït anal – ou vaginal, dans le cas où votre amante nécessiterait une lubrification supplémentaire. Il est à noter que tout lubrifiant à base d'huile détruira effectivement un contraceptif fait de caoutchouc ou de

Alors que certains types de crèmes et de vaporisateurs sont conçus expressément pour fouetter le sang, d'autres ont pour mission de retarder chez l'homme le moment de l'éjaculation.

En pareil cas, les produits à action retardatrice peuvent s'avérer bénéfiques puisqu'ils permettront à l'éjaculateur précoce de rompre ce cycle.

Deux mots cependant au sujet de ces crèmes retardatrices. Leur action anesthésique ne se manifestant généralement que 10 à 15 minutes après leur application, il est recommandé de les employer durant les préliminaires, soit plusieurs minutes avant qu'il n'y ait pénétration. Amusez-vous avec votre partenaire en attendant qu'elles fassent effet, puis allez-y ensuite à cœur joie ! Ces quelques minutes d'attente sont également nécessaires afin d'éviter que la substance dont vous avez fraîchement enduit votre pénis n'entre en contact avec le vagin ou le clitoris de votre partenaire. Contrairement à l'homme, la femme n'éprouve aucune baisse de désir après l'orgasme ; pouvant jouir rapidement et à répétition, elle n'a que faire de l'action modératrice de ces crèmes et vaporisateurs. Idéalement, on portera un condom lorsque l'on utilise

latex. Le condom pour femmes en polyuréthane résistera à ce genre d'attaque, mais tous les autres condoms et diaphragmes se dissoudront quelques minutes à peine après être entrés en contact avec une substance de ce genre. Lorsque vous utilisez un contraceptif, employez toujours un lubrifiant à base d'eau ; disponibles dans *sex shops* et pharmacies, ces produits sont conçus spécifiquement pour usage sexuel.

Si vous avez envie d'expérimenter avec certains accessoires sexuels mais que le courage vous manque, alors un petit scénario de fantasme est peut-être ce dont vous avez besoin. Considérant que l'on nous répète depuis l'enfance que le sexe est une chose taboue, il est naturel d'éprouver quelque embarras face à nos envies sexuelles. Bon nombre de personnes ont, enfants, contourné cet interdit en s'adonnant à des jeux érotiques. Qui, dans son enfance, n'a pas joué au docteur ? Pour bien des jeunes filles et jeunes garçons, ce jeu constituait le prétexte idéal pour se

Pimentez votre vie sexuelle en vous costumant tout spécialement pour un fantasme.

livrer à des attouchements, pour découvrir ce qui les différencie l'un et l'autre physiquement. Et ce jeu semblait bien sûr inoffensif, puisque les palpations des vrais médecins sont – même les enfants savent cela – d'ordre professionnel et non sexuel. Le médecin a le droit de déshabiller son patient, de l'allonger sur la table d'examen et de le toucher partout. C'est une bonne chose ; il fait cela pour son bien. De son côté, même s'il est timide et qu'il ne laisserait personne d'autre l'ausculter et l'examiner ainsi, le patient se prête volontiers aux soins du médecin. Innocent jeu réservé aux enfants ? Pas nécessairement. Les adultes aussi peuvent jouer au docteur si le cœur leur en dit. Ce type de scénario, où l'un de vous est le médecin traitant et l'autre le patient, est idéal pour le couple qui désire s'adonner en toute impunité et en s'amusant à toutes sortes d'attouchements dont il n'a peut-être pas l'habitude. Après tout, le docteur ne fait que son travail, tandis que le patient, lui, consent de bonne grâce à l'examen – même qu'il peut guider les touchers du médecin, disant : « J'ai mal ici, docteur. Docteur, je sens quelque chose là. »

On ne peut pas jouer au docteur sans cabinet de consultation. Mettez-vous dans l'ambiance en agençant adéquatement mobilier et accessoires dans la pièce où se déroulera ce jeu érotique. Une table, un divan ou un canapé sur lequel on aura étalé un drap ou une serviette tiendra lieu de table d'examen. Tous vos instruments

Il faut toujours suivre les conseils de son médecin.

médicaux – gel lubrifiant, gants de chirurgien, vibro-masseur, etc. – seront disposés de façon ordonnée sur un plateau. Pour ajouter une touche d'authenticité, lavez-vous soigneusement les mains devant votre patient avant d'enfiler, avec claquement emphatique pour faire bonne impression, vos gants de caoutchouc. Parfumez le drap ou la serviette sur laquelle s'étendra le patient à l'aide du même type de désinfectant que l'on emploie dans les hôpitaux : disponible en pharmacie, ce produit recréera pour vous et votre partenaire l'atmosphère aseptisée du milieu hospitalier ; quelques gouttes, et hop ! vous voilà transportés aux urgences !

L'uniforme est un autre élément crucial de ce fantasme. Le docteur sera affublé d'un sarrau blanc ou d'un pantalon et d'une blouse comme en portent les chirurgiens. Le patient, pour sa part, se vêtira d'un simple peignoir ou d'une chemisette. Tout au long du scénario, il ne faut pas oublier que c'est celui qui joue le rôle du médecin qui fait autorité. Quoi qu'il décide, quelle que soit la nature des traitements qu'il prescrit, le patient doit se soumettre.

Une variante intéressante de ce fantasme est celle du « Docteur et de l'infirmière ». Ici, l'un des partenaires, au lieu d'adopter le rôle du patient, deviendra plutôt infirmier ou infirmière. Le scénario pourrait se dérouler de la manière qui suit.

Nous sommes dans un hôpital. Après une dure journée de travail, une infirmière entre dans le cabinet de consultation du médecin. « Vous êtes toute pâle, garde. Quelque chose ne va pas ? » « Je suis exténuée, docteur. Et puis j'ai mal à la tête. » « Qu'à cela ne tienne ! Allongez-vous sur la table d'examen, je vais vous arranger ça. » Le docteur s'applique alors à lui masser la nuque et le dos. Afin de faciliter les choses, il défait quelques boutons de son uniforme d'infirmière, évase le col, dénude ses épaules. Reconnaissante, l'infirmière s'exclame : « Oh ! docteur ! Vos mains font des miracles ! » Ensuite, tout en continuant d'une main à masser nuque, épaules et dos, le docteur effectue de l'autre main, sur d'autres parties du corps, de savantes palpations. « Vous êtes réellement tendue, garde, dit-il. Vous avez besoin d'un vrai massage. J'ai lu récemment un texte médical datant de l'époque victorienne. En ce temps-là, on croyait que toute tension physique provenait d'un phénomène appelé "congestion". Le seul traitement reconnu pour guérir la congestion était de masser les parties génitales de la personne atteinte jusqu'à ce qu'elle parvienne à un niveau de relaxation satisfaisant. » À ces mots, le docteur exhibe un vibromasseur, puis, après avoir délicatement déboutonné l'uniforme de l'infirmière, commence le traitement. Selon son avis professionnel, ce type de

Lorsque l'on joue au docteur, c'est celui qui joue le rôle du médecin qui fait autorité. Quoi qu'il décide, quelle que soit la nature des traitements qu'il prescrit, l'infirmière doit se soumettre.

pathologie exige une ferme application du vibromasseur contre les mamelons, le ventre et les organes génitaux de la malade. « Ça va mieux ? » demande-t-il. « Oh oui, docteur ! répond l'infirmière. Mais je sens encore de la tension là… et là… et là. » Consciencieux, le docteur administre ses soins aux parties concernées. Parfois, il délaissera le vibromasseur en faveur d'une plume soyeuse et légère, tout aussi efficace dans le traitement de ce type d'affection.

Grâce à ce genre de scénario fantasmatique, un couple pourra commencer, sans honte et sans gêne, à utiliser des accessoires sexuels dans le cadre de sa vie amoureuse. À preuve ce témoignage relaté par un couple uni et heureux, mais qui, sexuellement, éprouvait certains problèmes. André aimait follement Mireille. Cependant, en dépit de leur amour, cette dernière refusait de se montrer nue devant lui. Depuis son enfance, Mireille entretenait un sentiment de dégoût à l'endroit de son propre corps. Toute sa vie, elle s'était trouvée peu attirante, trop grosse et laide, et croyait donc que si André la voyait dans son plus simple appareil, il cesserait de l'aimer et de la désirer. Minée par ces craintes et ces doutes, elle ne pouvait totalement s'abandonner durant l'acte sexuel. Elle se souvenait que, petite fille, elle avait joué au docteur avec un garçon de son âge. Elle se rappelait aussi que ses parents, ayant appris la chose, l'avaient sévèrement grondée. Un jour, André, soucieux de chambouler ces interdits qui régissaient leur vie sexuelle, proposa à son amoureuse de recréer cet épisode de sa jeunesse et de jouer avec lui au docteur. Tout d'abord horrifiée, Mireille réalisa par la suite que l'idée l'excitait et que de plus elle lui offrait la possibilité de revivre un moment foncièrement agréable de son enfance, mais en en soustrayant cette honte que ses parents lui avaient fait ressentir. Dès qu'ils amorcèrent ensemble le scénario, Mireille perdit d'emblée ses inhibitions et se rendit compte qu'elle ne craignait plus que son amoureux la voie nue, en pleine lumière. Ce jour-là, le « docteur André » procéda à un examen approfondi – et très excitant ! – de sa patiente chérie. Et, depuis ce jour, la vie sexuelle d'André et de Mireille se porte à merveille.

❧ LETTRES DE NOBLESSE

Il y a encore de nos jours des personnes qui, considérant que ce sont là des choses sordides et ridicules, voient les accessoires sexuels d'un mauvais œil. Il faut dire que certaines des firmes qui les commercialisent nuisent à la réputation de ces produits en proposant des catalogues sexistes et vulgaires, proprement horripilants. Bien des gens voudraient faire l'expérience de tel ou tel accessoire sexuel, mais hésitent à pénétrer dans un *sex shop* parce que ce genre d'endroit les indispose. Il est vrai que l'atmosphère douteuse de certains de ces établissements alliée aux approches promotionnelles insipides des manufacturiers neutralisent nos envies de plaisirs inédits, font de celles-ci des désirs embarrassants et furtifs. Fort heureusement, il semble que le vent commence à tourner. En Amérique, quantité de femmes d'affaires se sont lancées dans la vente de produits érotiques. S'adressant à une clientèle exclusivement féminine, leurs *sex shops* et services de vente par correspondance proposent des catalogues sobres, magnifiquement illustrés, très différents des torchons à tendance pornographique que nous sert traditionnellement ce type de commerce. Toujours en Amérique, le très respecté organisme à but non lucratif Family Planning Association, reconnaissant le rôle déterminant que jouent les accessoires sexuels dans la vie de bien des couples, a établi son propre service de vente par correspondance. Sur un autre front, l'achat de ces produits par le biais de sites Internet ne cesse de gagner en popularité. Il y a même une compagnie britannique qui s'est spécialisée dans la vente d'accessoires sexuels à domicile ! De nos jours, quiconque désire faire la découverte de ces amusants et stimulants produits n'a plus aucune raison valable de s'en priver.

Chapitre 5

DOMINE-
MOI

Maintenant que vous avez appris à préparer le terrain à l'activité sexuelle, que vous avez exploré les façons de vous habiller et de vous déshabiller afin de susciter le désir de votre partenaire ; maintenant que vous connaissez tout des accessoires sexuels et de leur usage, que reste-t-il pour propulser votre vie sexuelle vers un nouveau palier d'intensité ?

Pour bien des gens, l'abandon suprême, le plus grand plaisir des sens et de l'imagination passent par les jeux de domination. Dans cet univers sado-masochiste, l'exaltation du dominateur n'a d'égale que celle de l'asservi. La répression sexuelle, l'inhibition se dissolvent dans le feu de voluptés profondes, exotiques, et tout le monde y trouve son compte. Les jeux de domination peuvent se diviser en plusieurs catégories. L'asservissement, par exemple, est une pratique où l'un des partenaires est ligoté par l'autre à l'aide de cordes, de chaînes, de sangles de cuir ou de bandelettes

de tissu. Ici, celui qui ligote est le dominateur et celui qui est ligoté, le dominé. D'autres types de jeux mettent plutôt l'accent sur la relation maître/esclave, le premier s'octroyant tous les droits ainsi que le contrôle absolu de la situation, et le second devant obéir à la lettre et sans rechigner aux ordres proférés par le maître. Éventuellement, ceux qui prennent goût à ce genre de scénario passeront au niveau supérieur et tâteront du plus pur des plaisirs sadomaso : la punition. À ce stade de la relation maître/esclave, le dominateur dispense au dominé divers châtiments corporels, du simple ligotage et de la fessée à des sanctions plus douloureuses et violentes pouvant aller jusqu'à la bastonnade ou à la flagellation. Il n'y a cependant pas lieu de s'inquiéter de ces actes brutaux, douleur et humiliation étant le pain quotidien des sadomasochistes, choses des-quelles ils tirent leur plaisir. En vérité, il s'agit d'une relation parfaitement symbiotique : alors que la volupté absolue du partenaire soumis est de se faire malmener, celle du domi-nateur est de châtier. Vous connaissez l'histoire du couple sado-maso ? « Bats-moi ! », supplie le masochiste. « Non ! », répond le sadique. La douleur physique n'est cependant pas un impératif dans la relation maître/esclave : parfois, le sim-ple fait d'humilier le partenaire soumis suffit.

Puis il y a le fétichisme. Le fétichiste est une personne qui éprouve du désir sexuel pour un objet, une activité ou une partie du corps qui n'a pas normale-ment de réelle connotation sexuelle. Certains fétichistes sont excités par un type de chaussures en particulier, d'autres par des stylos ou des briquets. Il y en a qui, par exemple, ne peuvent jouir qu'en brossant la chevelure d'un partenaire. Ceux qui fétichisent les orteils ou les doigts ressentent face à ces parties du corps le même émoi que provoque chez la majorité d'entre nous la vision d'une vulve offerte ou d'un pénis en érection. Si les vêtements de cuir et le fouet du domi-nateur, si ce qu'il ou elle vous fait vous excite davan-tage que le partenaire même, c'est que vous avez des tendances fétichistes.

En chacun de nous sommeillent à la fois un maître et un esclave.

◈ FAIS-MOI MAL

En chacun de nous sommeillent à la fois un maître et un esclave. Qui n'a jamais éprouvé de plaisir à mener son entourage à la baguette ? Qui ne s'est jamais senti soulagé alors que d'autres prenaient les choses en main ? Ne serait-il pas amusant et excitant d'explorer chacune de ces facettes de notre personnalité dans le cadre de la vie sexuelle ? Une chose reste certaine : tant que vous n'aurez pas fait l'expérience de ces jeux de domination, vous ne saurez pas de quoi vous êtes réellement capable. Cela ne veut pas dire que vous devez plonger d'un coup et vous lancer tout de go dans des pratiques sado-masochistes. De fait, une approche progressive est ici préférable. Par exemple, vous pourriez, lors d'une prochaine relation sexuelle, convenir au préalable qui de vous ou de votre partenaire adoptera le rôle domi-nant et qui sera le dominé. Une fois ces rôles établis, le domi-nateur mènera carrément le bal, prendra toutes initiatives quant au moment, au lieu, à la manière et à la durée du rapport sexuel. N'hésitez pas ici à intervertir l'ordre habituel des choses : celui qui normalement prend les devants pourra adopter le rôle du dominé, et vice versa. Pour que le jeu fonctionne, le domina-teur doit se montrer arrogant, impérieux et même tyrannique. Il ne dit jamais « merci » ou « s'il te plaît ». Il commande, dicte à l'autre ses exigences et punit la moindre désobéissance. Mais il sait aussi se montrer magnanime et récompenser l'esclave qui fait preuve de docilité. Si l'aspect physique de la relation maître/esclave vous effraie ou vous rebute, vous pouvez exercer sur votre partenaire une domination purement verbale. Nombreux sont les couples qui trouvent excitant de se dire des mots grossiers pendant l'amour ; or, si on veut pousser plus loin la chose, on peut aller jusqu'à critiquer ouverte-ment ou humilier, toujours par la parole, son parte-naire. Encore une fois, allez-y graduellement, débutant avec des commentaires légèrement déplaisants qui vous mèneront, si vous puisez l'un et l'autre du plaisir en la chose, à de cinglantes gifles oratoires destinées à humilier et rabaisser votre partenaire. On est en droit

Une fois que l'on est ligoté, on ne peut empêcher notre partenaire de faire ce qu'il ou elle veut de nous.

de se demander quelle mesure de satisfaction sexuelle quiconque pourrait retirer d'un tel traitement. Néanmoins, il est courant que le partenaire à qui l'on inflige pareille mortification se sente ensuite purifié. Ses fautes ayant été exposées au grand jour, elles s'en trouvent expiées, ce qui dès lors l'autorise à se laisser aller et à jouir sans honte et sans retenue de l'acte sexuel.

Si vous et votre partenaire prisez ces légers jeux de domination, convenez d'aller un peu plus loin la prochaine fois. En complément de son comportement et de ses paroles sévères, le dominateur pourrait à cette occasion attacher les poignets de son partenaire à la tête de lit au moyen d'une ceinture ou d'une écharpe. Une fois qu'il l'aura immobilisé ainsi, le dominateur fera ce qu'il veut de lui, sexuellement parlant. Si tout va bien, il ira plus loin la fois suivante et ligotera encore plus solidement son esclave. Au moyen de cordes, il lui attachera les mains dans le dos ou l'enchaînera jambes écartées aux montants ou aux pieds du lit. Chaque fois que votre partenaire et vous jouerez à ce jeu, changez de rôle, adoptant tour à tour celui de dominateur puis celui de dominé. Analysez ensuite l'expérience, ce que vous avez ressenti, puis discutez-en ensemble. Dans l'une ou l'autre des positions, éprouviez-vous de la peur ? Si oui, cette peur vous donnait-elle envie d'arrêter ou de continuer ? Dans quel rôle êtes-vous le plus à l'aise ? Lequel vous procure la plus grande satisfaction sexuelle ? En répondant à ces questions, votre couple sera en mesure d'orienter ses séances de domination futures de manière à ce que chacun y trouve pleinement son compte.

✦ PUNIS-MOI

L'attrait qu'exercent sur quantité de gens les jeux de domination peut s'expliquer de plusieurs façons. L'une de ces raisons puise sa source dans l'enfance. En effet, bon nombre d'entre nous n'ont récolté que punitions et réprobations à la suite de nos premières explorations sensorielles. Déjà, alors que nous n'étions que de tous petits bébés, on nous tapait sur les doigts lorsque nous prenait l'envie de nous toucher, de découvrir le potentiel sensuel de notre propre corps. Conséquemment, adultes, nous en venons à ressentir de la gêne et même de la honte face à notre corps et à nos désirs sexuels. D'une certaine façon, devenir le dominé dans une relation maître/esclave permet de contourner cette gêne : puisque nos désirs sexuels sont entre les mains du dominateur, que par son autorité il nous force à exécuter certains actes, ces désirs et ces actes ne relèvent plus de notre volonté et nous n'avons donc plus aucune raison de nous sentir honteux ou coupable. Bien des gens qui avaient du mal à prendre leur pied et à accepter leur propre sensualité ont découvert, grâce à l'asservissement, une dimension sexuelle à la fois nouvelle et libératrice. Quantité d'individus qui, dans leur vie privée ou professionnelle, doivent assumer une position de force et d'autorité, favorisent eux aussi le rôle sexuel de dominé. C'est pour eux le moyen idéal d'alléger les pressions de leur vie quotidienne.

Quant au rôle de dominateur, il a lui aussi ses avantages. Dans la plupart des cas, l'énorme part de responsabilité qu'il suppose mène à une expérience fortifiante et stimulante. Pour certains, le rôle de dominateur procure un sentiment de toute-puissance : n'acceptant ni les reproches ni la désobéissance, le maître se trouve par le fait même à l'abri de la honte, de l'insécurité et de l'indécision. Si son esclave exprime la moindre réticence à exécuter ses volontés, le dominateur, d'une bonne fessée ou d'une gifle bien sentie, le remettra dans le droit chemin. La sensation de pouvoir que procure ce rôle ne pourra être qu'une révélation pour ceux qui, dans la vie de tous les jours, n'ont pas le droit ou la chance d'exercer quelque autorité que ce soit.

Il peut être très agréable de se plier aux exigences d'un maître.

Quantité d'individus qui, dans leur vie privée ou professionnelle, doivent assumer une position de force et d'autorité, favorisent le rôle sexuel de dominé.

✦ UN DOULOUREUX PLAISIR

Si ces jeux sadomasochistes sont si populaires, c'est aussi parce que, du point de vue de la sexualité, plaisir et douleur sont de très proches parents. L'excitation sexuelle provoque le réchauffement, l'irrigation et la dilatation des lèvres, des mamelons et des organes génitaux. De même, toute partie du corps, lorsque frappée, deviendra chaude, sensible et enflée. Quand votre amoureux vous administre une petite fessée, votre corps interprétera généralement la chose comme une stimulation sexuelle. En vérité, la majorité des gens réagissent favorablement à une douleur bien dosée lorsque celle-ci est infligée par un partenaire dans le contexte d'un rapport sexuel. Pour la « victime », soutenir cette douleur constitue bien souvent un test, une manière de déterminer jusqu'où elle peut aller dans la souffrance. Au terme d'une expérience masochiste particulièrement éprouvante, il est fréquent que le dominé se sente exalté, comme un survivant à l'issue d'une terrible bataille.

Non contents d'exploiter cette filiation entre douleur et plaisir, les jeux de domination capitalisent également sur les effets physiques et émotionnels de la rage et de la peur. Tous les symptômes physiques accompagnant l'excitation sexuelle – dilatation des pupilles, transpiration, accélération du pouls et de la respiration – sont également présents lorsque nous sommes furieux ou effrayés. Combien de couples, à la suite d'une dispute, ont coutume de se réconcilier en faisant l'amour ? Éventuellement, la furie des querelles et la fougue des empoignades sexuelles qui en résultent deviennent, pour eux, dans leur esprit, irrémédiablement liées. Puis vient un temps où l'engueulade leur devient un moyen plus expéditif, plus efficace que sensibilité et romantisme de s'exciter, de susciter leur désir. Bien des gens, devenus des accros de ces émotions vives et violentes, en viennent à provoquer la zizanie dans leur couple dans le seul but de se réconcilier ensuite entre les draps.

❦ ASSERVISSEMENT ET FÉTICHISME

Outre la grande variété d'accessoires et de costumes destinés expressément aux jeux de domination, les pratiques elles-mêmes sont nombreuses et variées. Cela dit, fétichistes et inconditionnels de l'asservisse-

> *Quand votre amoureux vous administre une petite fessée, votre corps interprétera généralement la chose comme une stimulation sexuelle.*

ment tendent à favoriser des costumes et accessoires de cuir, de caoutchouc ou de latex. Au cours des dernières années, de hautement spécialisé qu'il était, l'arsenal typique à l'asservissement et au fétichisme a envahi l'univers de la musique branchée et de la haute couture, si bien qu'aujourd'hui on retrouve couramment des articles de ce genre sur les rayons des grands magasins. Ce qui encore hier était considéré *hard* fait maintenant grand public. Mais, au fait, qu'est-ce qu'un costume « domination » typique ? Tout d'abord, il se doit d'être très ajusté. Ensuite, il doit avoir été confectionné dans un matériau lisse et

Il existe une filiation certaine entre douleur et plaisir.

luisant, soit caoutchouc, plastique, *PVC,* cuir ou latex. Il sera aussi nanti de sangles, de chaînes, de clous décoratifs et de fermetures éclair. Les bruits que produira le vêtement sont aussi importants que son aspect : il doit crisser, cliqueter, claquer de façon à insuffler terreur et désir en quiconque est à portée d'oreille. Ce vêtement doit sentir le caoutchouc, le talc, être imprégné de la sueur et des différentes humeurs de ceux qui l'ont porté. Un costume pour débutant pourrait être composé de bottes de cuir, d'un pantalon de cuir ou de latex et d'un collier clouté. Parmi ceux qui n'en sont plus à leurs premières armes, certains revêtiront un body ultra-moulant de caoutchouc, de latex ou de *PVC.* D'autres opteront plutôt pour un bustier de cuir ou de caoutchouc, ou encore pour un harnais clouté en cuir accompagné d'un slip de cuir et de chaînes qui seront fixées aux mamelons à l'aide de pinces. Les purs et durs de l'asservissement rivalisent souvent d'ingéniosité dans leur façon de se ficeler les seins ou le pénis avec sangles, cordes et chaînes.

Bien que l'on puisse se procurer certains articles de cuir, de latex ou de caoutchouc dans des boutiques régulières, le consommateur en quête de marchandise spécialisée s'adressera directement à un *sex shop* ou à un service de vente par Internet. Là, il trouvera de tout : sangles, chaînes et cadenas ; menottes de métal ou de cuir pour poignets et chevilles ; harnais en fer, en cordage ou en cuir destinés à immobiliser les membres de l'utilisateur dans diverses positions ; bandeaux, bâillons et, enfin, des barres servant à maintenir poignets, chevilles et cuisses écartées. Certains types d'équipements sont

s'adresseront à des hôtels spécialisés. Il existe en effet des établissements qui proposent des « donjons », pièces aménagées spécifiquement pour répondre aux besoins de fétichistes et sado-masochistes. Ces derniers peuvent utiliser dans la réalisation de leurs fantasmes toute une panoplie d'équipements, d'accessoires et d'appareils aussi chers qu'exotiques.

♦ QUI SE RESSEMBLE...

Typiquement, les adeptes des jeux de domination se rencontrent soit dans des clubs spécialisés, soit dans des soirées privées. Certains se rendent là dans le seul but de trouver un partenaire friand des mêmes plaisirs qu'eux, tandis que d'autres exhibent leurs talents de dominateur ou de dominé à la vue de tous. Ces tandems maître/esclave se livrent parfois entre eux une compétition féroce, chaque couple essayant de surpasser les autres en allant plus loin dans la soumission ou la domination. Dans ces endroits, les matchs de flagellation sont monnaie courante. Ils ont parfois une résonance artistique : on compare alors le savoir-faire, le style et la technique des dominateurs. Mais il arrive également que tout cela tourne à l'épreuve d'endurance, l'objet de l'exercice consistant en ce cas à infliger aux esclaves des sévices de plus en plus rigoureux afin de déterminer lequel est capable de tolérer la plus grande souffrance. La majorité des clubs d'asservissement imposent à leur clientèle un code éthique des plus stricts. Chaque pratique, chaque comportement doit être conforme au règlement. Les habitués vous diront que, dans ce genre d'établissement, on a

Au cours des dernières années, de hautement spécialisé qu'il était, l'arsenal typique à l'asservissement et au fétichisme a envahi l'univers de la musique branchée et de la haute couture.

plus complexes et coûteux. L'amateur fortuné pourra par exemple se procurer différentes cages, chevalets et échafaudages qui lui permettront d'enfermer, de suspendre ou d'écarteler ses victimes comme bon lui semble. Ceux qui n'ont pas les moyens de s'offrir de telles installations mais qui néanmoins sont désireux d'en faire l'expérience

moins de chance de se faire importuner que dans un bar ordinaire. Le néophyte qui, en quête d'idées et de conseils, visitera un de ces clubs, fera bien de commencer par regarder et écouter ce qui s'y passe, ce qui s'y dit. Surtout, qu'il ne s'inquiète pas que sa présence soit vue d'un mauvais œil : le milieu de la domination est essentiellement exhibitionniste. Or,

n'est-il pas vrai que tout exhibitionniste à besoin d'un voyeur ?

◆ PRÉPARER LE SCÉNARIO

Les couples désireux de s'initier aux joies de l'asservissement devront prévoir certains préparatifs. Chacun devra d'abord se procurer un costume approprié. Admettant que la femme soit la dominatrice, elle se parera d'une combinaison moulante de lycra, de latex, de cuir ou de *PVC* ornée de sangles ou de chaînes. Elle portera des bottes ou chaussures à talons aiguilles et s'armera d'un martinet, d'une cravache ou d'un bâton ainsi que d'une plume d'oiseau. Son esclave, l'homme, enfilera un harnais de cuir et un slip de lycra ou de cuir. Dès le départ, la dominatrice doit baigner dans une terrifiante aura de dureté. L'esclave, par contre, pourrait amorcer le scénario habillé de façon ordinaire, mais portera un string sous sa tenue de tous les jours. Laissant ses fesses exposées, ce sous-vêtement le rendra encore plus vulnérable aux coups et punitions de sa maîtresse. Quoi qu'il porte, l'esclave doit se sentir aussi fragile et mal à l'aise que possible.

Il est important d'agencer l'espace où se déroulera le fantasme de manière à créer une atmosphère sinistre, lugubre, pareille à celle d'un donjon. Tentures lourdes et sombres, et bougies à la flamme vacillante sont ici de mise. Aménagez à l'avance les endroits où vous ligoterez votre victime – sur un lit, une table ou une chaise, contre un mur, etc. – et assurez-vous d'avoir toutes les entraves nécessaires. Maintenant que tout est prêt, il est temps pour chacun de se mettre dans la peau de son personnage. Souvenez-vous que le but premier de tout jeu de domination est de dépasser ses propres inhibitions, de faire fi des interdits qui rituellement régissent notre comportement. Dès que nous adoptons un rôle, que ce soit celui de maître ou d'esclave, ces voix intérieures qui nous soufflent que ceci ou cela est mal se taisent, car nous ne sommes plus à proprement parler responsables de nos actes. La dominatrice peut agir de manière cruelle et obscène en se disant que c'est son esclave qui l'a mérité. De même, le dominé se livrera à toutes sortes d'activités humiliantes ou grotesques avec la certitude qu'il n'y peut rien puisqu'on l'oblige à faire ces choses. Au bout du compte, ses protestations, les efforts qu'il fera pour se défaire de ses liens ne feront qu'exacerber son plaisir

Dans un fantasme maître/esclave,
chacun des protagonistes, confronté
à la perspective de découvrir ce dont
il est capable, éprouvera une mesure
égale d'appréhension et de fébrilité

et celui de sa partenaire. Et le jeu ne deviendra que plus satisfaisant lorsqu'on y incorporera un brin de châtiment corporel. Rien de tel qu'une bonne fessée ou quelques claques bien placées pour évacuer ces derniers relents de culpabilité qui subsistent en nous. Le dominé se dira : « Je sais que j'agis en dépravé, mais regardez, on me punit pour ça. Je paie, donc je n'ai plus à me sentir coupable. » Dans un fantasme maître/esclave, chacun des protagonistes, confronté à la perspective de découvrir ce dont il est capable, éprouvera une mesure égale d'appréhension et de fébrilité. Et une fois le jeu commencé, il doit être joué jusqu'au bout, c'est-à-dire mené d'une poigne ferme par le maître, et servilement accepté par l'esclave.

⚜ LE SCÉNARIO

Nerveusement, la victime frappe à la porte. Une terrifiante créature tout de cuir vêtue ouvre et lui dit : « Entre, espèce de ver de terre, et déshabille-toi vite ! Et surtout, pas un mot ! Tu la fermes et tu fais comme je dis ! » La voix de la dominatrice est ferme ; son attitude assurée ne souffre nulle protestation. Elle pousse sa victime à l'intérieur du donjon et la déshabille, lui laissant son string pour unique vêtement. Chaque fois que la victime enlève une autre pièce de son habillement, la dominatrice l'ausculte de la pointe de sa cravache en lui crachant d'un ton méprisant :

Une délicieuse vulnérabilité...

« Mais quel corps pitoyable ! Tu as vraiment besoin d'une bonne correction, hein, tas de merde ? » « Oh oui ! oui, maîtresse ! » répond la victime. Sur ce, la dominatrice bande les yeux de sa victime, puis la ligote solidement. Ensuite, elle utilisera ses instruments pour établir d'emblée sa suprématie. Ainsi, la victime sera tour à tour chatouillée à l'aide d'une plume, flagellée ou cravachée, et frappée sur les fesses à l'aide d'une palette. Pendant qu'elle prodigue ces sévices, la dominatrice dira : « Si je vois que ça t'excite, tu auras affaire à moi ! » ou « Je te défends de jouir sans ma

permission ! » De son côté, la victime doit subir punitions et attouchements sans protester. La dominatrice soutirera tout le plaisir qu'elle désire du corps de sa victime, par contre cette dernière n'aura droit à l'orgasme que si la dominatrice l'y autorise.

Bien des couples jugent salutaire cette suppression de la responsabilité qui accompagne les jeux de domination. À preuve Ingrid et Tony, époux qui virent leur relation renouvelée par l'adoption de telles pratiques. Ingrid avait appris durant son enfance que le sexe était une chose sale et perverse. Le plaisir qu'elle retirait en faisant l'amour avec Tony invariablement se changeait en culpabilité, si bien qu'elle avait du mal à atteindre l'orgasme. Elle pouvait jouir sans problème en se masturbant ou lorsque leurs ébats se limitaient à des attouchements, mais la chose n'était jamais arrivée quand Tony la pénétrait. Le couple décida éventuellement de consulter un thérapeute. Au cours d'une de leurs séances, Ingrid parla d'un film qu'elle avait vu et qui comportait une séquence qu'elle qualifia à la fois de troublante et d'excitante. Ce qu'elle décrivit alors était une scène d'asservissement. Lorsque, à la suite de cette consultation, ils firent l'amour, Tony s'arrêta tout à coup, empoigna une ceinture et une cravate, attacha Ingrid au cadre de lit et lui dit : « Maintenant, tu es à ma merci. Tu ne peux pas m'empêcher de faire ce que je veux de toi et tu n'as aucun contrôle sur ce qui va t'arriver. » Tony se mit alors à sucer et à chatouiller les mamelons de son épouse, puis à lui caresser les seins et le clitoris. Ingrid avait coutume d'accueillir favorablement de tels attouchements et de caresser son mari en retour ; mais, arrivée à un certain point, inévitablement elle se désistait, rejetait les caresses de Tony puis s'écartait de lui. Cette fois, ligotée comme elle l'était, elle ne pouvait s'y dérober. Sans cesser de la caresser et de

---

Une bonne communication est vitale à toute relation amoureuse.

la lécher, Tony pénétra lentement Ingrid, lui répétant qu'elle était en son pouvoir et devait donc se montrer soumise. N'ayant plus aucun contrôle sur la situation, Ingrid n'était plus responsable du plaisir qu'elle éprouvait. Soudain, elle réalisa que tout sentiment de culpabilité face à son désir sexuel l'avait quitté. Ce jour-là, pour la première fois, elle eut un orgasme – puis deux, puis trois – pendant que Tony la pénétrait.

♦ CONSEILS PRATIQUES

Quelques conseils avant que vous n'ajoutiez l'asservissement à votre répertoire sexuel. En premier lieu, convenez toujours avec votre partenaire des limites du jeu. Une fois ces limites établies, il ne faut jamais les dépasser. La confiance étant un aspect capital des jeux de domination, on ne doit jamais contraindre un des participants à faire ou à subir une chose contre son gré. Ce n'est que lorsque les deux protagonistes sont à l'aise avec la stricte définition, avec les exigences propres à leur rôle qu'il est possible d'en retirer du

Convenez à l'avance des limites du jeu... puis laissez-vous aller.

grante des jeux de domination, aussi de telles phrases seront-elles fréquemment prononcées par la victime au cours de l'exercice. Le dominé doit même avoir la latitude de dire : « Maintenant, je ne blague plus : libère-moi ! Je veux qu'on arrête TOUT DE SUITE ! » Dans la perspective du jeu, cet ordre péremptoire doit être ignoré du dominateur. Le tout est d'utiliser un mot ou une expression que, normalement, vous n'emploieriez jamais dans le cadre du jeu. Ainsi, vous et votre partenaire pouvez convenir que « citron » ou « bœuf braisé » signifie « ARRÊTE ET LIBÈRE-MOI IMMÉDIATEMENT ! » Chacun doit promettre que si ce mot de code est proféré, les choses s'arrêteront là. Et, surtout, chacun doit tenir cette promesse.

Autre conseil, destiné celui-ci aux personnes qui aiment ligoter ou se faire ligoter solidement : prenez garde à ce que les entraves ne laissent aucune marque permanente ni n'occasionnent de blessures graves. De même, il faut éviter que les liens entourant le cou soient

Le tout est d'utiliser un mot ou une expression que normalement vous n'emploieriez jamais dans le cadre du jeu. Ainsi, vous et votre partenaire pouvez convenir que « citron » ou « bœuf braisé » signifie

« Arrête et libère-moi immédiatement ! »

plaisir. Tout ce qui se situe au-delà des frontières explicitées par l'un et l'autre des partenaires relève du domaine de l'agression sexuelle. Il est également vital que vous conveniez au préalable d'un code, d'un mot que l'un de vous pourra énoncer pour signifier à l'autre qu'il va trop loin, que le jeu outrepasse les limites que vous aviez établies. De toute évidence, il ne suffit pas de dire : « Non, non ! Arrête, je t'en supplie ! » Les supplices sont partie inté-

serrés au point d'étrangler la personne ainsi attachée. Autre accessoire courant de l'asservissement, le bâillon doit lui aussi être employé avec précaution. En somme, quel que soit l'accessoire que vous utilisiez et quoi que vous fassiez, il ne faut jamais gêner la respiration de quelque façon que ce soit. Et, bien sûr, on doit toujours s'assurer que l'on dispose d'un moyen de se défaire de ses entraves.

Chapitre 6

TOUT SUR LES
POSITIONS

I l y a plusieurs façons de faire l'amour. À la fois excitante et satisfaisante, la traditionnelle position du missionnaire tisse entre les deux partenaires une réelle intimité et leur permet de se concentrer sur les sensations que procure le coït. Face à face, les yeux dans les yeux, lui par-dessus, elle par-dessous : voilà une recette qui, si elle pèche un peu par manque d'exotisme, n'en est pas moins éprouvée.

Mais il nous vient parfois des envies de varier le menu, et c'est alors que l'on aura recours à d'autres positions. La position sexuelle est une autre façon d'exprimer au lit son esprit aventurier, d'ajouter du piquant à des ébats parfois ternes. Baiser différemment, sous un autre angle, nous permet de contempler cet acte familier sous un jour inédit. On pourrait aller jusqu'à dire qu'essayer une nouvelle position, c'est comme faire l'amour pour la première fois : chaque geste nous éblouit, nous paraît neuf, aiguise notre appétit, notre soif de découverte. Or, toute cette nouveauté ne peut que

favoriser la communication au sein d'un couple, ce qui représente en soi un bénéfice appréciable. Faire l'expérience de nouvelles positions sexuelles présente également d'autres avantages. Certaines positions nous électrisent par le simple fait qu'elles nous paraissent plus osées, plus audacieuses que celles que nous pratiquons habituellement. D'autres amplifient sensiblement les sensations de l'un ou des deux partenaires durant le coït. Tant de bienfaits et pourtant, toujours, il y a la gêne, l'embarras, le manque de confiance en soi pour venir nous empêcher d'explorer au maximum notre potentiel

dans diverses positions sexuelles. Nos textes les plus connus demeurent toutefois le *Kama Sutra*, à l'origine écrit en hindi, il y a plus de 1500 ans, et *La prairie parfumée*, ce traité arabe maintenant millénaire qui proposait une vision très pointue de l'amour et du sexe. Alors que le *Kama Sutra* énumérait huit positions de base, *La prairie parfumée* en comptait onze. Des chercheurs qui se sont penchés sur la question, après avoir compilé les positions figurant dans une multitude d'ouvrages érotiques, en sont arrivés au nombre de cinq cents. On compte évidemment parmi ces cinq cents positions quantité de variations sur un même thème, mais tout de même! Il faudrait au couple moyen plus d'un an pour les essayer toutes.

⚜ FACE À FACE

Dans la position du missionnaire, de loin la plus courante et la plus populaire, les deux partenaires sont face à face. Faire l'amour dans cette position présente plusieurs avantages: on peut plonger son regard dans celui de l'être aimé et l'embrasser à pleine bouche, choses qui contribuent grandement au sentiment

**Avoir les mains libres
pour aimer et caresser.**

sexuel. Peut-être avez-vous hésité jusqu'à maintenant à exprimer à votre partenaire votre curiosité face au sujet des positions sexuelles; ou peut-être craignez-vous qu'il ne se formalise de votre savoir-faire en la matière. J'ose espérer qu'à ce point de votre lecture, vous aurez le courage de surmonter vos appréhensions et d'aborder franchement et ouvertement la question avec l'être aimé. Vous verrez, il est plus que probable que ce dernier, au lieu de réprouver votre démarche, manifestera à son égard un fol enthousiasme.

⚜ 500 POSITIONS SEXUELLES

Il y a plus de 2000 ans que la littérature érotique s'intéresse aux positions sexuelles. La fascination qu'exerce ce sujet sur l'être humain est cependant, on s'en doutera, beaucoup plus ancienne. On a même découvert des grottes tapissées de dessins datant de la préhistoire qui représentaient des hommes et des femmes

Alors que le Kama Sutra énumérait huit positions de base, La prairie parfumée en comptait onze. Des chercheurs qui se sont penchés sur la question, après avoir compilé les positions figurant dans une multitude d'ouvrages érotiques, en sont arrivés au nombre de cinq cents.

d'intimité; l'homme peut aisément caresser les seins de sa compagne; les attouchements au pénis et au clitoris, même après la pénétration, demeurent possibles. Il existe de nombreuses variantes possibles à partir de la position du missionnaire. Par exemple, l'homme peut tendre les bras, relever le buste et la femme pourrait alors lui empoigner les fesses afin de contrôler elle-même avec ses mains la cadence du mouvement. De cette position, la femme peut également relever les jambes et en entourer la taille de son partenaire, ou encore les replier afin qu'elles reposent contre la poitrine de ce dernier. Les relevant davantage, elle sera ainsi en mesure d'appuyer ses chevilles sur les épaules

Certaines positions sont athlétiques, et d'autres, plutôt relaxantes.

sa partenaire. Du point de vue de la femme, la principale lacune de cette position est l'insuffisante stimulation clitoridienne qu'elle procure; quantité de femmes ne peuvent en effet atteindre l'orgasme lorsqu'elles font l'amour de cette façon. Il existe cependant une variante de la position du missionnaire susceptible de donner du plaisir aux deux partenaires: l'homme doit se tenir debout ou agenouillé entre les cuisses de la femme, puis glisser un oreiller sous les reins de cette dernière de manière à élever son bassin. Non seulement l'homme peut-il maintenant librement caresser les seins et le clitoris de sa compagne, il peut aussi changer à loisir l'angle de pénétration pour mieux la satisfaire.

Lorsque tout est dit, la position idéale pour la femme est celle où elle chevauche son partenaire, face à face avec lui. Mesdames, si vous ne savez trop comment suggérer cette position à votre amoureux, profitez d'une étreinte passionnée et roulez sur le côté jusqu'à ce que vous vous retrouviez sur lui. Et n'ayez crainte, car il aura tôt fait de saisir les avantages de la chose: ses mains sont libres de caresser votre corps, tout particulièrement vos mamelons et votre clitoris; n'ayant plus à soutenir son propre poids, il peut se concentrer tout entier sur la tâche à accomplir. De cette position, il est plus facile pour l'homme de se retenir et donc de prolonger la durée de l'acte sexuel. Chevauchant son amant, la femme peut exercer un contrôle strict de la cadence, de l'intensité, de l'angle du mouvement, et ainsi trouver la meilleure façon de stimuler adéquatement son clitoris. Bien des femmes ont découvert qu'elles peuvent obtenir des sensations très fortes en plaçant leur bassin un peu vers l'avant, c'est-à-dire vers le ventre du partenaire plutôt qu'à hauteur de son pubis.

Faire l'amour face à face avec son partenaire présente plusieurs avantages.

de son amant. Le seul désavantage de la position du missionnaire pour l'homme est que, soucieux de ne pas écraser sa partenaire, il doit soutenir une partie de son propre poids. Cela risque à la longue de devenir fatigant. Si l'homme sent ses forces le quitter, il est probable qu'il cherchera alors à abréger le rapport sexuel, à jouir plus rapidement, ce qui ne fera pas le bonheur de

♦ FACE À FACE, SUR LE CÔTÉ

Cette position où les deux partenaires sont face à face et étendus sur le côté incite à l'intimité. Perdus dans une langoureuse et relaxante étreinte, les amants feront l'amour lentement, se sentiront très proches l'un de l'autre. Ce thème comporte lui aussi de nombreuses variantes. Par exemple, l'homme restant toujours sur

Certaines positions, bien qu'exotiques, n'en permettent pas moins de faire l'amour lentement et tendrement.

Faire l'amour en position assise permet à l'homme de durer plus longtemps tout en attribuant à sa partenaire l'essentiel du contrôle du mouvement. Bref, une position des plus satisfaisantes pour l'un comme pour l'autre.

le côté, la femme pourrait s'étendre sur le dos et déposer ses jambes sur celles de son partenaire ; l'arrière des cuisses de la femme repose donc maintenant contre le pubis de l'homme. Cette position favorise la pénétration profonde et permet à la femme de changer l'orientation de son bassin en bougeant les jambes. Ainsi, elle sera en mesure d'explorer diverses sensations.

Il est également très agréable de faire l'amour debout, face à face. Cette position est idéale pour les couples qui veulent s'envoyer en l'air sous la douche, dans un coin retiré du supermarché ou encore dans un ascenseur. Si les partenaires sont de taille égale, ils pourront garder les pieds au sol. Si la femme est plus petite que l'homme et suffisamment légère, elle se pendra à son cou et entourera de ses jambes la taille de son partenaire. Ce dernier la soutiendra en plaçant ses mains sous ses fesses ou sous ses cuisses. Bien qu'excitante, cette position nécessite de la part de l'homme une bonne dose d'effort physique et est donc difficile à maintenir pour quelque durée que ce soit. Il est également possible de faire l'amour face à face à partir de la station assise. Cette position s'apparente à celle où la femme chevauche l'homme en ce sens qu'elle permet à ce dernier de durer plus longtemps tout en attribuant à sa partenaire l'essentiel du contrôle

Il n'est de geste plus flatteur que de montrer à l'être cher qu'il nous donne envie de le dévorer tout rond.

du mouvement. Et, comme on peut aussi bien faire la chose assis sur un lit, sur une chaise ou directement sur le sol, cette position se prêtera à une multitude de subtiles variantes. Bref, une position des plus satisfaisantes pour l'un comme pour l'autre.

◆ LE SEXE ORAL

Demandez à un homme ce qu'il préfère sur le plan sexuel, et il y a de fortes chances pour qu'il vous réponde que ce qu'il aime par-dessus tout, c'est de se faire sucer. Peu d'actes sexuels sont aussi satisfaisants, tant pour l'homme que pour la femme, que le sexe oral. Il n'est de geste plus flatteur que de montrer à l'être cher qu'il nous donne envie de le dévorer tout rond. Malgré cela, la fellation (le sexe oral pratiqué sur l'homme) et le cunnilingus (sur la femme) sont à l'origine de bien des craintes et des appréhensions. En effet, quantité de gens craignent que l'être aimé ne juge déplaisants le goût, l'apparence et l'odeur de leurs parties génitales, et se privent donc du plaisir que pourrait leur procurer cette pratique. Ces craintes sont sans fondement puisque la majorité

des hommes et des femmes ne demandent pas mieux que de dévorer voracement le sexe de leur partenaire. Pour l'amant et l'amante avides de sensualité, pratiquer le sexe oral est une joie.

Il est vrai que l'amour oral offre de nombreuses possibilités. On peut embrasser, lécher, sucer, mordiller... en fait, on peut faire à peu près tout ce que l'on veut. Amorcez les choses en léchant doucement la région génitale de votre partenaire. Lorsqu'il sera bien excité, allez-y plus franchement, à grands coups de langue et même à petits coups de dents. Lécher et sucer le clitoris ou le gland du pénis ne manquera pas de faire son petit effet. Après s'être bien fait lécher, certaines personnes adorent sentir le souffle de leur amoureux sur leur sexe moite de salive. Il faut cependant éviter de souffler directement et fortement dans le pénis ou le vagin de votre partenaire : en plus d'être déplaisant, ce geste pourrait causer une vilaine infection ou encore une embolie potentiellement fatale. On peut également se placer tête-bêche et faire ce que l'on appelle un « 69 », position permettant aux deux partenaires de pratiquer le sexe oral simultané-

L'amour oral est aussi bon à donner qu'à recevoir.

En changeant la posture de nos bras et de nos jambes, on peut facilement adapter les positions sexuelles classiques au gré de nos envies et de nos besoins.

ment. Le seul inconvénient du soixante-neuf, c'est qu'il est difficile de continuer à s'occuper de l'autre au moment où on atteint l'orgasme. Admettant que l'on puisse jouir sans arrêter de satisfaire son partenaire, il faut prendre bien garde de ne pas trop se laisser emporter. Serrer les dents est un réflexe normal pendant l'orgasme, or on imagine facilement les sérieuses morsures que cela peut occasionner. Aussi est-il préférable, lors d'un soixante-neuf, de jouir l'un après l'autre plutôt qu'en même temps. Arrivés au point critique, arrêtez-vous afin de déterminer lequel des deux bénéficiera du premier orgasme, sachant que, au bout du compte, chacun aura son tour.

♣ EN LEVRETTE

L'amour ne se fait évidemment pas que face à face. De fait, la plus ancienne position sexuelle, celle qui prévaut dans tout le règne animal, celle que nos ancêtres primitifs pratiquaient est la position dite « en levrette ». Ici, la femme est à quatre pattes devant le mâle qui la

pénètre par derrière. Jadis, l'homme préhistorique copulait dans cette position afin de pouvoir garder un œil aux aguets, à l'affût de tout danger potentiel. Aujourd'hui, l'amour en levrette est pratiqué pour d'autres raisons, beaucoup plus plaisantes celles-là. Pour les amateurs de fesses, il n'est en effet de position plus affriolante : la croupe de votre partenaire est juste là, sous vos yeux, et vous pouvez la peloter à satiété. Un autre avantage majeur de la position en levrette est qu'elle facilite la stimulation manuelle du clitoris. De cette position, la femme n'aura aucun mal à se caresser elle-même, mais l'homme pourra s'acquitter de cette tâche tout aussi aisément. De plus, faire l'amour de cette façon procure une délicieuse impression d'animalité, de plaisir vicieux qui corse joliment l'affaire. Encore une fois, les variantes possibles sont multiples. La femme peut par exemple caler son torse sur une pile de coussins ou d'oreillers et lever les fesses de façon que son amant puisse s'agenouiller entre ses jambes et la pénétrer. Dans une autre variante, les deux protago-

Parce qu'elle compte de nombreuses variantes, la position de la levrette s'est toujours avérée fort populaire.

D'infinies variantes...

nistes sont debout; l'homme se tiendra derrière sa partenaire qui se penchera vers l'avant et s'appuiera sur le rebord du lit ou contre le dossier d'un fauteuil ou d'une chaise. Baiser en levrette est également possible avec les deux partenaires assis. La femme sera alors assise sur les genoux de l'homme, dos à lui ou encore légèrement tournée de côté de façon que son flanc repose contre la poitrine de son amant. Une autre variante de cette position est celle dite « en petites cuillères », où les deux partenaires sont couchés sur le côté, l'un derrière l'autre, « emboîtés » pour ainsi dire l'un dans l'autre.

En changeant la posture de nos bras et de nos jambes, on peut facilement adapter les positions sexuelles classiques au gré de nos envies et de nos besoins. Par exemple, lorsque la femme chevauche l'homme de face, elle pourra débuter appuyée sur les coudes, sa poitrine reposant contre celle de son partenaire, ses jambes de part et d'autre des cuisses de celui-ci. Ensuite, elle tendra les bras, soulèvera son torse et placera une de ses cuisses entre les jambes de son partenaire. Il lui sera possible d'enchaîner en relevant les genoux et en s'assoyant à califourchon sur son amoureux. De là, elle s'accroupira puis, gardant toujours le pénis de son compagnon en elle, se tournera de manière à se retrouver dos à lui. Essayez ces variantes et voyez ce que cela donne. Chacun aura bien sûr ses préférences. Certains couples

C'est à force d'expérimentation que l'on trouve de nouvelles positions.

jugeront telle position ridicule ou gênante tandis que d'autres y trouveront leur compte. L'important est que vous et votre partenaire continuiez à vous prêter à ces expériences afin de découvrir les positions qui, tout en étant confortables, vous procurent à tous deux un maximum de plaisir.

❧ UN PEU DE NOUVEAUTÉ

Un petit scénario de fantasme semble tout indiqué pour ces couples qui ont envie d'essayer de nouvelles positions sexuelles, mais qui ne savent trop comment s'y prendre ni par où commencer. Compte tenu qu'il existe quelque 521 positions, il est aisé pour le néophyte de s'y perdre et de capituler en se rabattant sur la bonne vieille position du missionnaire. En dépit de tout ce que cette position a de rassurant, il serait dommage de s'y cantonner. Il existe après tout tant d'autres positions, chacune présentant des avantages qui lui sont propres. Quelle que soit la nature de vos expériences sexuelles, certaines conditions doivent obligatoirement être remplies si l'on veut assurer la satisfaction des deux partenaires : chez l'homme, le gland doit être manipulé et stimulé tandis que chez la femme, c'est le clitoris qui doit absolument être caressé ; les partenaires des deux sexes bénéficieront en outre d'une stimulation de leurs zones érogènes communes, c'est-à-dire lèvres, mamelons, intérieur des cuisses, lobes de l'oreille, nuque et dos. Ainsi que je l'ai déjà mentionné, la pire position pour satisfaire à ces exigences – à tout le moins du point de vue de la femme – est celle du missionnaire, l'angle de pénétration ne permettant tout simplement pas une stimulation adéquate du clitoris. Bien que l'homme aura peu à redire en faisant l'amour dans cette position, la femme, elle, y trouvera rarement son compte. Les couples qui aspirent à une complète satisfaction des deux partenaires devront nécessairement se montrer plus aventureux et élargir leur répertoire de positions sexuelles. Le scénario de fantasme que vous découvrirez à la page suivante vous permettra d'expérimenter avec tout un éventail de positions différentes. Par exemple, vous pourrez essayer celle où la femme chevauche l'homme, ainsi que ses variantes. Et pourquoi ne pas goûter à la chose avec elle assise sur lui ? ou tous les deux debout ? Si vous faites l'amour face à face, imaginez une variante où la pénétration se fera par-derrière. N'oubliez surtout pas d'essayer la position en petites cuillères où vous serez tous deux étendus sur le flanc, femme devant son partenaire et dos à lui. Si une position vous permet une certaine latitude de mouvement, profitez-en pour caresser les seins, les mamelons, le clitoris ou les testicules de l'autre. Ceux qui en sont à leurs premiers pas dans l'exploration de nouvelles positions sexuelles, connaissant mal ces techniques, se sentiront parfois confus et maladroits. Si vous faites partie de ceux-là, ne perdez pas courage : grâce au scénario fantasmatique qui suit, vous serez bientôt en mesure de passer d'une position à l'autre avec élégance et adresse.

Quel plaisir que de savourer le sexe de son partenaire !

Chapitre 7

SOIS MON
FANTASME

Que nous le considérions comme vague désir, rêve innocent ou vœu pieux, le fantasme n'en fait pas moins partie intégrante de notre sexualité. Sans doute en a-t-il toujours été ainsi puisque l'histoire humaine regorge de scénarios fantasmatiques. On dit que Cléopâtre séduisit Marc Antoine en l'enlevant sur une de ses plus luxueuses péniches.

Il se retrouva ainsi au cœur d'une mise en scène dans laquelle la reine d'Égypte, entourée de nymphes et de cupidons, incarnait Vénus. L'empereur Néron lui-même persuada les dames les plus distinguées de sa cour de jouer les prostituées dans un bordel imaginaire, et cela pour assouvir un fantasme. Marie-Antoinette avait ce fantasme dans lequel elle était une trayeuse de vaches faisant l'amour dans une étable. Excité par l'idée et soucieux de lui être agréable, Louis XVI lui aurait fait construire un bâtiment conforme à ses fantaisies érotiques, arborant des stalles en marbre et des seaux à lait en or massif. J. Edgar Hoover, notoire directeur du FBI, aimait se délester du

fardeau étatique en se travestissant. Eh oui, le grand homme avait le fétiche des vêtements féminins !

Nous sommes souvent portés à croire que le fantasme sexuel est l'apanage du mâle. De fait, les hommes sont généralement sidérés d'apprendre que leur compagne a des désirs fantasmatiques aussi fréquents et libidineux que les leurs. Malheureusement, il y a encore de nos jours des gens qui estiment que la gent féminine ne devrait pas avoir de fantasmes sexuels. Trompées par ces esprits répressifs et archaïques, bon nombre de femmes continuent d'éprouver de la honte face à leurs fantasmes. Pourtant, lorsqu'il s'agit de fantasmer, hommes et femmes sont beaucoup

plus semblables que l'on pourrait imaginer. Tout le monde sait maintenant que les trois quarts d'entre nous, hommes ou femmes, fantasmons pendant l'acte sexuel, et cela afin d'amplifier notre niveau d'excitation. Combien de femmes ont réussi dans le *showbiz* en exploitant leurs fantasmes ? Combien d'auteurs féminins font des tabacs en librairie en couchant leurs désirs fantasmatiques sur papier ? Oui, Dieu merci, la femme moderne semble avoir pleinement repris possession de sa vie sexuelle fantasmée.

♦ HONTE ET FANTASME SEXUEL

Malgré tous ces exemples et témoignages de gens qui ont des fantasmes et les réalisent, peut-être n'êtes-vous pas encore prêt à admettre que vous-même fantasmez à l'occasion.

Les personnes qui éprouvent le plus de mal à accepter leurs fantasmes sont celles qui, pendant l'enfance, ont appris que le sexe est une vilaine chose et qu'il faut avoir honte de ses pensées et désirs sexuels. Au Moyen Âge, on croyait que des démons mâles, les incubes, et des démons femelles, les succubes, visitaient les êtres humains dans leur sommeil pour les séduire et s'accoupler à eux contre leur gré. Cela revient à dire que les gens de l'époque ne considéraient pas le fantasme sexuel comme l'expression d'un désir sain, mais bien comme le symptôme d'une possession démoniaque. Par la suite, on élabora toute une mythologie axée sur cette croyance selon laquelle le rêve, plutôt que d'émaner de l'être lui-même, est en fait causé par un phénomène extérieur. Aujourd'hui, personne ne croit plus aux incubes et aux succubes, pourtant, plusieurs d'entre nous continuent d'entretenir une crainte, une honte quasi médiévale à l'en-

Imagination et fantasme sexuel vont de pair.

droit des fantasmes et désirs sexuels. Indépendamment de la nature de nos songes érotiques et de notre attitude face à eux, ceux-ci existent pour une raison bien précise puisqu'ils relèvent de l'imaginaire, d'un processus créatif de l'esprit auquel nous avons recours depuis notre plus tendre enfance. Il est courant pour l'enfant de recréer en gestes ou dans son imaginaire des choses qu'il a vues ou vécues, de s'inventer des jeux qui lui permettent d'assimiler, de faire sien le contenu émotif de ses expériences quotidiennes. Dans ces jeux réels ou imaginaires, très souvent l'enfant change le cours des divers événements de sa vie et leur donne une issue plus conforme à ses désirs et attentes ; ainsi, il gagne une emprise concrète sur le réel, prend en main sa propre existence. Maintenant que nous sommes adultes, ces jeux peuvent encore nous être salutaires, non seulement en tant que fantasmes sexuels, mais aussi pour nous donner du courage lorsque nous nous sentons faibles, confus ou horriblement ballottés par les gens et les circonstances. Le réel pouvoir du fantasme sexuel est qu'il nous permet de réinventer notre existence afin que nous puissions ensuite l'orienter concrètement de façon plus satisfaisante. Outre sa capacité de combler les insuffisances du destin et du quotidien, le fantasme sexuel peut également être vu tout simplement comme un jeu, la cerise sur le gâteau d'une vie amoureuse déjà heureuse et passionnée.

♦ SEXE VIRTUEL

Par le fantasme, nous avons en tout temps accès à un partenaire sexuel. Lorsque l'être aimé est loin de vous, vous pouvez vous masturber en pensant à lui, en imaginant qu'il vous fait l'amour. De même, le fantasme

Que nous le considérions comme vague désir, rêve innocent ou vœu pieux, le fantasme n'en fait pas moins partie intégrante de notre sexualité.

viendra à votre rescousse dans ces moments où votre partenaire est débordé, malade ou fatigué, et qu'il n'a pas la tête à ça. Peut-être êtes-vous seul à l'issue d'un divorce ou de la mort de votre conjoint. Peut-être avez-vous une libido plus forte que celle de votre partenaire. Quelles que soient les circonstances qui mettent un frein à vos activités sexuelles, fantasmes et rêves érotiques peuvent certainement combler un manque et vous permettre d'exprimer vos désirs. Le cas des libidos inégales s'avère particulièrement intéressant. Que de querelles ménagères ont à leur origine les frustrations de l'un, les insuffisances de l'autre ! Il est fréquent que les tensions causées par des niveaux libidinaux différents viennent menacer la survie même d'un couple. Pourtant, il suffirait bien souvent que le partenaire dont la libido s'avère plus vigoureuse utilise le fantasme pour soulager son trop-plein de désir.

Le fantasme peut également pallier à d'autres lacunes dans la vie sexuelle d'un couple. Si le répertoire de positions de votre partenaire vous paraît peu inspirant, si vous rêvez de pratiques sexuelles qui ne lui disent rien qui vaille, eh bien ! fantasmez ! Vous mourez d'envie d'avoir une aventure, mais vous hésitez à tromper votre partenaire ? Rassurez-vous : le fantasme est là pour vous aider à savourer en pensée les actes que vous n'osez commettre dans la réalité. Si la personne avec qui vous couchez vous excite rarement ou plus du tout, remplacez-la dans votre esprit par quelqu'un d'autre. Même si cela semble cruel, il est parfois impératif de recourir à l'imaginaire afin de rendre une situation pénible plus plaisante, plus tolérable. Le fantasme peut également agir en tant que soupape en allégeant les tensions et les craintes que vous éprouvez face à vous-même, à votre sexualité – un partenaire imaginaire ne critiquera jamais votre apparence physique ou vos préférences sexuelles, et ne remettra pas en question votre savoir-faire.

l'on se fait violer, ce qui est un fantasme très courant, sans pour autant vouloir devenir la victime d'un viol réel. En fait, on pourrait comparer le fantasme sexuel à un film dont on assurerait à la fois la production, la réalisation, la scénarisation et le casting. Dans l'univers du fantasme, c'est nous qui décidons de chaque scène dans ses moindres détails, bien à l'abri des sentiments de gêne et de culpabilité que de tels scénarios, dans la vie réelle, ne manqueraient pas d'occasionner.

♦ FANTASMES MASCULINS ET FÉMININS

Sexuellement, les hommes et les femmes se ressemblent plus qu'ils ne le croient. Cela dit, les fantasmes sexuels de chaque sexe présentent d'étonnantes particularités. Les hommes ont tendance à fantasmer de choses qu'ils ont réellement vues ou vécues : une bonne baise passée, une séquence de film pornographique, une photo érotique aperçue dans un magazine, etc. Dans l'ensemble, les femmes se révèlent plus imaginatives puisqu'elles fantasment plutôt de choses qu'elles n'ont pas faites, mais aimeraient faire. Cette divergence est sans doute due au fait que, dans un couple, c'est habituellement l'homme qui prend les décisions. Et cela est particulièrement vrai au lit. Dans sa vie sexuelle, souvent la femme hésite à prendre les choses en main soit par timidité, soit parce qu'elle craint que son partenaire ne la juge trop expérimentée. Car si le savoir-faire sexuel constitue un avantage, une preuve de virilité dans le cas de l'homme, il est vu comme inconvenant, voire carrément indécent lorsqu'il se manifeste chez la femme. Encore de nos jours, la femme doit, en toutes circonstances et surtout dans sa vie sexuelle, agir convenablement, avec dignité. Sinon… bien on dira qu'elle ne vaut pas mieux que la dernière des traînées ! Cela explique sans doute pourquoi il y a beaucoup plus de femmes que d'hommes qui entretiennent des désirs inassouvis. L'homme fantasmera donc de ses

Il est fréquent que les tensions causées par des niveaux libidinaux différents viennent menacer la survie même d'un couple.

Le principal avantage du fantasme est que, contrairement à la réalité, on peut contrôler de façon absolue son déroulement. Ce contrôle nous procure un tel sentiment de sécurité qu'il nous arrive même de fantasmer de choses qui, dans les faits, nous répugnent ou nous effraient. Ainsi, on peut imaginer que

exploits sexuels passés tandis que la femme imaginera toutes sortes de scénarios où amour, romantisme et émotion tiendront le premier rôle. Évidemment, il ne s'agit pas d'un principe rigide. Quantité d'hommes nourrissent des rêves d'amour romantique et des tas de femmes ont des fantasmes crus, très charnels.

Peu importe sa nature, le principal atout du fantasme est qu'il ne fait pas partie de la réalité. On peut imaginer que l'on se fait violer brutalement ou que l'on baise avec une personne du même sexe que nous ; on peut rêver que l'on se fait ligoter et torturer, sans pour autant désirer que ces choses nous arrivent vraiment. Le fantasme relève du domaine de la pensée, or nos pensées nous appartiennent en propre ; personne ne peut les contrôler ou les juger. Si vous vous sentez peu disposé à partager vos fantasmes, rien ne vous empêche de les enfermer à jamais dans la voûte de votre esprit et de les contempler quand bon vous semblera, que ce soit seul ou en présence de votre partenaire. Par contre, si vous en avez le désir, communiquez-les à l'être aimé. Certains couples, pendant qu'ils font l'amour, aiment se raconter à voix haute les fantasmes, rêves et désirs qui leur passent par la tête à ce moment-là. Ils prétendent que cela enflamme leur passion. Et du fantasme exprimé par la parole, les couples les plus audacieux passeront à l'acte, c'est-à-dire à la mise en scène et à l'exécution dans la réalité de leurs délires érotiques. Il ne faut cependant pas perdre de vue que ce cap ne peut être franchi qu'une fois que l'on aura énoncé de vive voix ses fantasmes à son partenaire.

Voyagez jusqu'aux confins de vos rêves.

◆ RÊVER DE L'ÊTRE AIMÉ

Même si cela peut sembler atrocement banal, la plupart d'entre nous fantasmeront généralement à propos de notre partenaire du moment. Mais pourquoi diable rêver de celui ou de celle avec qui l'on couche déjà alors que l'on pourrait imaginer n'importe qui ? La réponse est simple : dans le fantasme, nous idéalisons la relation sexuelle avec notre partenaire, nous imaginons une étreinte pure et parfaite, fluide et belle. Nous nous imaginons chez nous, faisant l'amour avec l'être aimé dans ce lit même que nous connaissons tous deux si bien, ou ailleurs, dans une autre pièce, sur la table de la cuisine, sur le pas de la porte, au vu et au su de tout le voisinage. Bref, nous faisons en fantasme dans un contexte idéal tout ce que nous rêvons de faire avec notre partenaire mais que nous n'osons exprimer.

◆ ÉROTISME EXOTIQUE

Il est également très courant d'imaginer que l'on fait l'amour dans un lieu reculé et exotique, loin des pressions et contraintes de la vie quotidienne. Souvent, à l'occasion de pareils fantasmes, nous nous transportons dans un décor enchanteur, sur une île paisible où nous avons séjourné lors de vacances passées. Nous nous souvenons comment, là, entourés d'étrangers, nous nous sommes délestés de nos inhibitions et avons fait des choses que jamais nous n'aurions faites chez nous, sous le regard modérateur de parents et d'amis : nous avons bu jusqu'à l'ivresse et dansé sur les tables ; nous avons flirté pour la première fois depuis des lunes avec notre partenaire ; nous sommes tombés en amour, avons baisé avec des personnes que nous connaissions à peine. Et nous n'avons pas uniquement fait ces choses parce que, là, rien ne pouvait porter atteinte à notre réputation, mais aussi parce que nous avions le sentiment que, tout comme nous, la réalité était alors en congé. Tous ces fantasmes qui se déroulent sous un climat exotique témoignent de notre désir de jouir d'une vie sexuelle aussi libre et insouciante que celle que nous avons connue durant nos vacances.

◆ UN RÊVE ENSOLEILLÉ

Le thème des vacances est excellent pour mettre en scène un fantasme, pour libérer vos désirs les plus secrets, vos passions les plus intimes. Imaginez que

vous vous prélassez sur une plage antillaise au sable velouté, loin des contraintes habituelles de votre existence. Il s'agit maintenant de recréer cette atmosphère chez vous – dans votre salon, par exemple. Aidé de votre partenaire, disposez çà et là des plantes, des vases remplis de fleurs exotiques. Votre but est de créer une impression de végétation luxuriante, comme si vous vous trouviez en lisière d'une jungle touffue. Chauffez la pièce jusqu'à ce que la température ambiante évoque quelque climat tropical. Si vous avez une lampe solaire, allumez-la. Étendez des serviettes de plage sur le sol et emplissez l'air de parfums évocateurs, par exemple en faisant brûler de l'encens. Confectionnez quelques cocktails qui vous rappelleront vos vacances : sangria, Margarita, punch au rhum, etc. Habillez-vous de façon minimale, un bikini pour elle, et un string pour lui. Allongez-vous ensuite sur vos serviettes de plage avec cocktails, bols de fruits tropicaux et crème solaire à vos côtés. Vous pouvez, si vous le désirez, vous munir d'une douce plume qu'un perroquet aux couleurs chatoyantes aurait perdue en voletant dans les parages. Quelques effleurements de ce soyeux instrument suffiront à titiller les sens de votre partenaire. Maintenant que tout est en place, fermez les yeux et imaginez que votre avion vient d'atterrir le matin même, vous posant délicatement au creux de ce petit paradis tropical. Après avoir déposé vos bagages dans votre luxueuse chambre d'hôtel, vous vous êtes promenés main dans la main sur une plage au sable étincelant et moelleux. Vous avez marché et marché, puis vous

♠ FANTASME TROPICAL

Amorcez le scénario en vous enduisant mutuellement de crème solaire. Vous pouvez convenir du dialogue à l'avance ou improviser, comme vous préférez. Par exemple, la femme pourrait dire : « Il n'y a personne. On peut enlever nos maillots et se faire bronzer tous nus », ce à quoi l'homme répondrait : « Je veux bien, sauf qu'il y a des parties de moi que je n'ai jamais exposées au soleil. Il va falloir que tu recouvres chaque centimètre carré de mon corps de crème solaire. » Maintenant, étalez bien la crème solaire là où, l'instant d'avant, votre peau était couverte par les maillots. Et n'en oubliez pas un bout ! Excitez votre partenaire en lui annonçant où vous allez étaler la crème sur son corps et en commentant ces parties de son anatomie. « Tu as besoin d'un peu plus de lotion, là, sur tes mamelons. Comme ça, ça va ? Tiens, je crois que je vais t'en mettre un peu entre les cuisses. Tu me dis si je te chatouille. » N'oubliez pas de faire bon usage des fruits et de vos boissons. L'un de vous pourrait par exemple, après avoir avalé une bonne gorgée de son cocktail, en laisser dégouliner un peu sur le ventre ou la poitrine de l'autre en disant : « Voilà, ça va te rafraîchir. » Il ne lui restera plus qu'à lécher la mixture à même la peau de son partenaire. Certaines parties du corps réagissent fortement aux contrastes de température, à une alternance de chaud et de froid. Capitalisez là-dessus en utilisant à bon escient les glaçons contenus dans vos cocktails. Un cube de glace en balade sur l'anus, les testicules, la vulve ou les mamelons provoquera à coup sûr de délicieuses sensations. Quant aux fruits, vous pouvez par exemple couper une pêche en

Imaginez que vous vous prélassez sur une plage antillaise au sable velouté, loin des contraintes habituelles de votre existence.

avez découvert une petite crique sympathique toute bordée de palmiers. Vous vous étendez à l'ombre, jetez un œil aux alentours. Vous êtes seuls. Malgré la chaleur, un frisson dévale vos échines. Ici, dans cet endroit paradisiaque et paisible, vous avez l'impression d'être tous deux naufragés sur une île déserte.

deux et laisser son jus couler le long de la cuisse de votre partenaire pour le lécher ensuite. Ou encore, déposez un à un de beaux raisins juteux dans sa bouche. Parlez de la chaleur. Dites qu'il fait vraiment trop chaud pour faire quoi que ce soit, même l'amour. En fait, la seule activité possible dans une telle canicule, c'est de vous chatouiller l'un l'autre avec cette magnifique plume que vous avez trouvée sur la

---

Transportez-vous dans un petit paradis tropical... et laissez fondre vos inhibitions.

plage. Lorsque vous serez fatigués de ce jeu, enduisez-vous de nouveau de crème solaire et continuez de vous détendre à l'ombre des palmiers. Mais à vous badigeonner réciproquement ainsi d'huile solaire, forcément il vous vient des envies. Soudain, l'un de vous, disons la femme, se souvient de ce vieux fantasme que, malheureusement, elle n'a jamais eu l'occasion de réaliser : celui de faire l'amour en plein air, sur une plage dorée. « Savais-tu, dirait-elle, que les natifs d'ici croient que faire l'amour à l'intérieur porte malheur. Oui, ici, toute activité sexuelle doit se faire dehors, en plein air. Moi, je ne vois pas pourquoi on ne se plierait pas aux traditions locales, et toi ? »

Si les climats tropicaux ne vous disent rien et que vous rêvez plutôt d'une soirée au coin du feu, dans un chalet, étalez un tapis duveteux devant une source de chaleur – radiateur, calorifère, plinthe électrique – et brûlez de l'encens au parfum de pin ou de cèdre. Afin de vous plonger davantage dans l'ambiance, préparez quelques tasses de chocolat ou de vin chaud. Gardez une bouteille d'huile de massage à portée de main ; un bon massage réchauffera vos corps engourdis par le rude hiver.

Maintenant que tout est prêt, voici le scénario. Dehors, un blizzard fait rage. Vous rentrez, gelés jusqu'aux os, vos vêtements trempés. L'un de vous dit en claquant des dents : « La meilleure façon de se réchauffer est de se déshabiller et de s'envelopper tous les deux dans une grande couverture chaude. Il faut faire vite, sinon on risque la pneumonie. » Vous retirez vos vêtements. Nus, vous vous emmaillotez dans une moelleuse couverture, vous vous frottez l'un contre l'autre, mais vous ne parvenez toujours pas à vous réchauffer. « Laisse-moi te frictionner avec cette lotion », dit l'un. « Tu ne sens plus tes orteils ?

Dans un décor digne des *Mille et une nuits*, un prince arabe a préparé pour vous un magnifique festin – ou peut-être est-ce *vous* le festin.

Attends, je vais souffler dessus et les masser pour activer la circulation », propose l'autre. Frictionnez-vous mutuellement afin d'éviter les engelures. L'un des partenaires peut également renverser « accidentellement » son chocolat chaud sur l'autre pour le lécher ensuite. Étendez-vous ensuite tous les deux devant le « foyer » et continuez de bien vous réchauffer.

♦ LE VOYAGE IMAGINAIRE

On peut également fantasmer que l'on est dans un endroit, dans une ville ou un pays où l'on a vécu d'intenses moments de passion. Après huit années de vie commune, Monique et Nicolas se trouvaient dans une impasse et décidèrent d'entreprendre une thérapie de couple. Ce fut un voyage à Malte avec des amis qui déclencha en quelque sorte la crise. Ils étaient partis sans illusions, conscients qu'ils n'avaient pas fait l'amour ensemble depuis six mois. Une fois là, curieusement, ils ne pouvaient s'empêcher de retourner à toute heure du jour dans leur chambre d'hôtel pour s'offrir de torrides séances de jambes en l'air. Alors qu'à la maison ils ne faisaient plus l'amour que dans le noir et sous les couvertures, à Malte leur passion était si forte qu'ils en grimpaient littéralement aux rideaux. De retour à la maison, la vie reprit son train-train habituel et Nicolas et Monique laissèrent plusieurs semaines s'écouler avant de faire à nouveau l'amour. Leur premier rapport sexuel après Malte fut une cruelle déception. L'ennui et l'apathie d'avant s'étaient réinstallés. Pourtant, aucun des deux n'aurait su dire ce qui clochait. Lorsqu'ils discutèrent de la chose en présence de leur thérapeute, ils en vinrent à réaliser que, pour eux, vacances et voyage étaient synonymes de sexe, d'amour et de liberté, tandis que la vie de tous les jours ne représentait que routine et ennui. Les exigences de leur vie professionnelle et domestique ne leur laissaient que peu de temps pour songer à leur sexualité. En dépit de leur bonne volonté, ils ne savaient trop comment injecter un peu de la folie des vacances dans leur quotidien. Le thérapeute leur suggéra d'explorer des scénarios de fantasme qui les transporteraient, en imagination sinon en fait, entre les draps moites

de désir de leur chambre maltaise. Après quelques essais, Monique et Nicolas parvinrent à recréer les sensations, les émotions qui les avaient accompagnés tout au long de leur séjour à Malte. Ils ont depuis renoué avec leur passion d'antan et peuvent s'aimer sans avoir recours au fantasme. Enfin, pas à celui-ci spécifiquement. Disons qu'ils en ont découvert d'autres.

> *On peut fantasmer que l'on est dans un endroit, dans une ville ou un pays où l'on a vécu d'intenses moments de passion.*

♦ UN JOUR, MON PRINCE VIENDRA

Par le fantasme, on peut voyager dans l'espace, mais aussi dans le temps. Il est aisé grâce à lui de se transporter à une autre époque – pour y élaborer un festin sensuel, par exemple. Nous connaissons déjà le potentiel sensuel de certains aliments, de certaines boissons. Un repas aux chandelles n'est pas que romantique, il est aussi très évocateur du point de vue sexuel : dans la lueur vacillante des bougies, nous avalons, dévorons, lapons avec délice et convoitise, signifiant à notre partenaire qu'une fois notre assiette finie, ce sera elle ou lui qui sera au menu. Certains aliments ont été associés au sexe en raison de leurs vertus aphrodisiaques. Certains ont même la réputation d'exacerber la virilité, d'accroître l'endurance sexuelle de l'homme. Ainsi, on prétend que les aliments dont la forme évoque celle d'un phallus – banane, carotte, asperge – et que certaines substances exotiques comme la poudre de corne de rhinocéros sont le gage de vigoureuses et durables érections. De même, parce que les huîtres et les figues ont l'apparence d'un sexe de femme, on leur attribue des propriétés aphrodisiaques considérables. On dit que le chocolat déclenche dans le cerveau humain le même type de réaction chimique que le sentiment amoureux. Les aliments épicés, aux dires de certains, auraient le pouvoir de hausser la température du corps et en particulier celle des parties génitales. Et l'on ne saurait aborder le sujet des boissons aphrodisiaques sans parler du champagne, nectar sensuel par excellence : ce bouchon catapulté comme sous l'effet d'un désir trop longtemps jugulé ; cette mousse dense giclant telle une puissante éjaculation ; ces bulles espiègles qui picotent le nez et explosent en bouche comme pour nous inciter à faire éclater nos inhibitions. Aucune autre boisson n'est si chargée de sens sur le plan sexuel.

Parmi les scénarios fantasmatiques les plus courants et les plus populaires, figure en bonne position celui du festin érotique. La variante que je propose ici, inspirée des contes des *Mille et une nuits,* se déroule dans le palais d'un prince ou d'un sultan arabe. À cette occasion, votre chambre à coucher ou votre salon deviendra un harem, un espace entièrement voué à la volupté. Remplacez l'éclairage électrique par la lueur des bougies et couvrez lit, sofa ou sol de coussins et d'oreillers. Disposez çà et là dans la pièce, des plats, des bols, des verres et des bouteilles débordants de mets délicats et sensuels, et d'élixirs propres à exciter la sensualité. Parez-vous de vêtements somptueux aux couleurs vives et aguichantes et dont l'étoffe invite le toucher. Si vous préférez décliner ce fantasme selon un thème oriental, optez pour le cafetan, le sarong ou le kimono ; sinon, dans la tradition arabe, enveloppez-vous de voiles légers et vaporeux. Voilà, tout est prêt. Il est temps de passer au scénario proprement dit. Lui est un prince arabe et elle, une femme de son harem, son odalisque favorite. Vous voilà confortablement étendus, en quête de sensations voluptueuses, et vous avez tout le temps devant vous. Rien ne presse. Vous allez d'abord déguster des mets fins, avaler de langoureuses lampées de toutes ces capiteuses boissons qui vous entourent, sachant que d'autres plaisirs succéderont à ceux de l'estomac. Chaque fois que vous

priétés aphrodisiaques et énergisantes, puis imaginez que ces pouvoirs vont agir directement sur vos zones érogènes et vos parties génitales. Sentez la chaleur, l'excitation qu'ils provoquent dans votre pénis, vos mamelons, votre clitoris. Mangez et buvez lentement, modérément. Inutile de vous empiffrer, cela ne ferait que vous détourner de cet autre appétit, sexuel celui-là, qui monte en vous. Rappelez-vous qu'un estomac trop plein n'a pas envie de faire l'amour. Savourez chaque bouchée de ce festin, mais sans perdre de vue qu'il n'est en définitive qu'un prétexte, qu'un prélude au sexe.

Tout au long de ce fantasme, n'hésitez pas à jouer avec les contrastes. Gardez un glaçon ou un peu de crème glacée dans votre bouche, puis sucez et léchez une partie sensible du corps de votre partenaire – mamelon, lobe de l'oreille, pénis, clitoris, etc. Une fois la zone érogène bien stimulée et bien imprégnée de cette sensation de froid, répétez l'exercice avec en bouche un aliment ou une boisson chaude. Vous pouvez également alterner les aliments de consistance différente, allant par exemple d'un aliment sec et croustillant à un autre qui serait plutôt liquide ou crémeux. Le tout est d'avoir une bonne variété de denrées à portée de main. Ceux qui n'ont pas froid aux yeux et qui aiment aller au bout des choses pourront même disposer tout ce festin sur une bâche imperméable (afin d'éviter les dégâts) pour ensuite littéralement se rouler dans la nourriture et la manger à même le corps de l'autre. Bien des couples adorent faire l'amour ainsi, dans une délicieuse éclaboussure de crème, de flan ou de mousse au chocolat. Essayez, vous verrez comme c'est amusant.

Versez du vin, du miel, étalez de la crème glacée sur vos corps puis léchez-vous l'un et l'autre.

croquez dans un fruit, c'est l'autre que vous dévorez. Vous vous nourrissez mutuellement, avalez goulûment ces petites bouchées que l'autre introduit délicatement dans votre bouche, puis vous léchez ses doigts, sensuellement. Emparez-vous d'une pêche juteuse, d'une figue, d'une asperge, d'un morceau de chocolat et sucez, léchez, mordillez ces aliments. Versez du vin, du miel, étalez de la crème glacée sur vos corps, puis léchez-vous l'un et l'autre. Lorsque vous avalez ces aliments, représentez-vous leurs pro-

❦ MANGE-MOI

Le récit qui suit, issu de faits véridiques, démontre bien comment notre amour de la bonne bouffe peut aiguiser un tout autre appétit, d'ordre sexuel celui-là. Patrick et Marie étaient deux bons vivants raffolant des plaisirs de la table. Bien qu'ils eussent vécu autour d'un bon repas de nombreux moments romantiques, jamais ils n'avaient réellement fait le lien entre sexe et boustifaille. Jamais, jusqu'au jour où ils virent le film *Tom Jones*. Ce classique du

Revivez l'émoi des premiers instants en vous rencontrant « par hasard », comme de purs étrangers.

cinéma renferme une scène où les différents aliments d'un repas deviennent, pour deux des personnages, des instruments de séduction. Un soir, après le travail, Patrick rentra comme de coutume à la maison. Curieusement, ce soir-là, Marie l'attendait dans le vestibule, chose dont elle n'avait pas l'habitude. « Pas un mot, dit-elle. Écoute-moi et fais comme je dis. Tu vas monter prendre une douche, puis tu vas mettre les vêtements que j'ai disposés sur le lit pour toi. Fais-moi confiance, tu ne le regretteras pas. Quand tu seras prêt, viens me rejoindre au salon. » Lorsque,

douché et confortablement vêtu, Patrick se rendit à la salle de séjour, Marie l'attendait au milieu d'un plantureux festin oriental. D'emblée il protesta et regimba, jugeant la chose ridicule. Puis elle savait bien, rouspéta-t-il, qu'il suivait un régime en ce moment ! Et si quelqu'un venait cogner à la porte et les trouvait dans cette embarrassante position ? Marie, au lieu de s'indigner de la réaction de son amoureux, se contenta de sourire et de déposer dans la bouche de Patrick de belles crevettes juteuses que celui-ci mastiqua sans toutefois cesser de protester. Puis, brusquement, il mit un frein à ses récriminations, avala une longue rasade de vin, un morceau de poulet aux arachides, et se servit une part de mousse au chocolat qui tomba « malencontreusement » dans le décolleté de Marie. Thomas entreprit alors de lécher les dégâts. En trois heures, tout fut consommé… y compris leur amour.

◆ DÉCOUVRIR L'AUTRE À NOUVEAU

Peu de gens sauteront de joie à l'idée de toujours faire l'amour de la même manière et avec le même partenaire. Tôt ou tard, les couples de longue date en arrivent à ce point critique où leur vie sexuelle tombe à plat. Or, le fantasme est un excellent moyen pour eux de renouer avec la flamme des premiers instants, de revivre sexuellement et émotionnellement cette époque bénie où la routine ne s'était pas encore emparée de leur amour, où tout dans leur relation, au lit comme ailleurs, n'était que frisson et découverte. Qui ne se souvient pas de l'émoi de l'amour naissant, du cœur battant la chamade à la simple idée de revoir enfin l'être aimé ? Mais les mois, les années ont passé, et vous constituez maintenant ce que l'on qualifie de « vieux couple ». Les émotions fortes du début, bon gré mal gré, se sont estompées ; vous ne sortez plus que

Séduisez votre partenaire comme vous l'avez fait lors de votre premier rendez-vous.

rarement tous les deux, et toujours aux mêmes endroits, pour faire toujours les mêmes choses. Certains d'entre vous, cherchant désespérément à retrouver cet émoi depuis longtemps émoussé, prendront maîtresse ou amant, flirteront avec tous et toutes de façon éhontée. Il est bien dommage de compromettre ainsi une relation par ailleurs solide et durable alors que tout ce dont on a besoin, c'est d'un peu d'exaltation, de stimulation. Grâce au fantasme sexuel, tout couple peut retrouver cette passion qui l'animait au tout début.

Vous pouvez par exemple faire comme si vous étiez de purs inconnus se rencontrant par hasard dans un bar. Il vous plaît, elle vous excite. Vous flirtez ensemble, cherchez à gagner le cœur de l'autre. Si vous préférez vivre ce fantasme à la maison plutôt qu'en public, créez, soit dans votre cuisine, soit au salon, une ambiance de bar ou de café. Habillez-vous comme si vous étiez dans un café ou un bar. Sous vos vêtements, portez vos dessous les plus sexy – ou, mieux encore, rien du tout. Avant de commencer, concentrez-vous sur le fait que vous êtes deux personnes seules qui ne se connaissent pas et qui sont venues là simplement pour boire un verre et se détendre.

Au début du scénario, l'un de vous est attablé, occupé à lire son magazine ou son journal tout en sirotant un cocktail ou un café. Vous pouvez évidemment convenir de vous rencontrer non pas chez vous, mais dans un vrai établissement. Peu importe, l'important étant que vous fassiez comme si vous ne vous connaissiez pas. L'un de vous est donc confortablement installé devant sa consommation lorsque l'autre survient et demande la permission de s'asseoir avec lui, à sa table. Pendant quelques instants, vous vous jaugez mutuellement du regard, chacun à l'affût des charmes et attraits de l'autre. Intérieurement, vous vous dites : « Qu'est-ce qui m'attire chez elle, chez lui ? Est-ce que son corps m'excite ? Ai-je envie de faire l'amour avec ce pur inconnu, cette belle étrangère ? » Après vous être bien reluqués l'un l'autre, lancez la conversation. « Vous venez souvent ici ? pourriez-vous dire. Que faites-vous dans vos temps libres ? Vous avez un petit ami, une petite amie ? » Au fil des questions, vous apprenez à vous connaître, si bien qu'au bout d'un moment le dialogue devient plus intime. « Quel genre de personne te fait craquer ? Que penses-tu du sexe ? Qu'est-ce que tu aimes au lit ? » Progressivement, vos propos se font plus osés. Si la femme porte un manteau, elle pourrait à ce moment en écarter les pans, révélant ainsi à l'inconnu ébahi qu'elle ne

Il y a de ces moments où l'on a qu'une envie, celle de baiser vite fait, furieusement et sans préambule.

porte dessous qu'une guêpière et un string. Si elle est vêtue normalement, elle pourrait légèrement relever sa jupe pour révéler qu'elle ne porte pas de culotte. L'homme pourrait alors mentionner en passant que lui aussi est tout nu dans son pantalon. Sous le couvert du manteau ou d'un journal, livrez-vous à certains attouchements, explorez comme pour la première fois le corps de l'autre. Si votre fantasme se déroule à la maison, vous pouvez aller aussi loin que vous le désirez. Dans un vrai bar ou un café, vous devrez juger de l'étendue de votre témérité. Un endroit sombre et peu fréquenté se prêtera fort bien à certaines caresses plus licencieuses. Usez tout de même de prudence et ne faites rien qui puisse choquer ou offenser d'autres personnes : vous êtes après tout dans un lieu public. Le compromis idéal est de débuter le fantasme dans un bar, de vous y rencontrer, de vous y séduire et de vous y embrasser, puis de continuer ensuite la chose en privé, loin des regards indiscrets.

❧ DEUX INCONNUS DANS LA NUIT

Il y avait maintenant trois ans qu'Alain et Catherine sortaient ensemble. Déjà, une certaine routine s'était installée au sein du couple. Selon leur habitude, ils ne faisaient jamais de sorties seuls tous les deux. Quand ils ne restaient pas pépères à la maison, ils allaient rejoindre les copains au bar du coin. Désireux de bousculer un brin leur train-train quotidien, Alain proposa à Catherine le scénario suivant : la semaine suivante, ils se rencontreraient tous deux dans un café qu'ils ne fréquentaient pas et feraient semblant de ne pas se connaître. Ils s'y rejoindraient immédiatement après le travail, si bien que, toute la journée, jusqu'au dernier moment, chacun serait tenaillé par la hantise que l'autre se désiste. Le jour fatidique arriva et Catherine et Alain se présentèrent tous deux à l'endroit convenu. Incroyablement, ils ne se reconnurent pas tout de suite. Catherine s'était acheté un nouvel ensemble et avait changé sa coiffure tout spécialement pour l'occasion. De son côté, Alain avait enfin rasé cette moustache qu'il portait depuis toujours et que son amoureuse détestait tant. Alain finit par reconnaître sa compagne, mais il était si méconnaissable que celle-ci le rabroua vertement lorsqu'il lui demanda s'il pouvait s'asseoir avec elle ! Quand enfin elle le reconnut, elle consentit et, comme de purs inconnus, ils entamèrent une vive conversation où chacun parlait de lui-même. Il y avait longtemps qu'ils avaient discuté ainsi – depuis le début de leur relation, en vérité. Tour à tour, chacun découvrait l'autre de nouveau, chacun se révélait à l'autre. Catherine avait oublié à quel point Alain aimait la nature, les animaux; Alain redécouvrait cette passion des voyages et de la gastronomie qu'entretenait Catherine. À leur grande surprise, ils se rendirent compte que, pour la seconde fois, ils étaient en train de tomber follement amoureux l'un de l'autre. Ce jour-là, ils se désirèrent plus que jamais. Depuis, une fois par mois, ils se rencontrent dans un café, un bar ou un restaurant, et s'abordent comme de parfaits inconnus. Là, ils réapprennent à s'aimer, mais, surtout, à se convoiter.

♦ SE TAPER UNE VEDETTE

Chacun fantasme de temps en temps d'un partenaire autre que celui qui partage son lit. Il est très courant d'imaginer que l'on fait l'amour à une ancienne flamme, à un collègue, à un voisin ou même avec quelqu'un que l'on a croisé dans la rue et dont on aime l'allure. Mais de tous les partenaires imaginaires, il n'en est de plus fréquent que la star. En effet, qui d'entre nous n'a jamais rêvé de s'envoyer en l'air avec un chanteur ou une chanteuse populaire, avec un top model, une vedette de cinéma? La chose est tout à fait normale, puisque nous voyons régulièrement ces aguichantes idoles agir de façon lascive sur la couverture de nos magazines préférés, à la télé ou sur le grand écran. Charisme et sensualité font partie de leur attrait, si bien que

Le fantasme sexuel est plus mental que physique.

nous n'avons aucune peine à nous imaginer entre les draps avec eux. Cela vaut surtout pour les vedettes du cinéma, car il nous suffit alors d'évoquer telle ou telle scène particulièrement sensuelle et érotique qu'elles ont jouée dans un film que nous avons vu pour nous y intégrer. Ainsi, dans nos fantasmes, nous prenons la place de l'acteur ou de l'actrice à qui notre idole donne tant de plaisir. Il faut dire que les médias aiment bien entretenir cette aura charnelle qui entoure les vedettes. Ces personnes nous sont présentées comme des bombes sexuelles et donc nous ne pouvons nous empêcher de croire que nous connaîtrions entre leurs mains expertes un plaisir, une volupté sans égale. Ce type de

fantasme est pour le moins valorisant: si cette star, cette personnalité adulée et convoitée nous choisit comme partenaire sexuel, c'est que nous avons vraiment quelque chose de spécial.

La prochaine fois que vous ferez l'amour avec votre partenaire, imaginez que c'est Brad Pitt, Julia Roberts, Cameron Diaz ou Thomas Cruise qui couche avec vous. Si vous estimez votre partenaire réel suffisamment ouvert d'esprit et confiant de ses propres capacités, parlez-lui de votre fantasme; s'il ne s'en formalise pas, peut-être ira-t-il jusqu'à vous permettre de prononcer, dans le feu de l'action, le nom de votre idole fantasmatique. Il se pourrait même, pourquoi pas, que votre partenaire trouve la chose excitante et se prenne au jeu. Ce fut le cas pour Madeleine et son mari. Depuis des années, Madeleine avait un petit faible pour Sean Connery. Sachant cela, son mari s'entraîna longtemps en secret à contrefaire la voix, l'accent très particulier de ce populaire acteur écossais. Un soir, il se lança dans une imitation impromptue et fort réussie du sieur Connery. Madeleine en fut soufflée. Non content d'imiter le personnage, son mari lui annonça ensuite qu'il aimerait bien que, pendant l'amour, elle l'appelle Sean ou James – comme dans Bond, James Bond. Par la suite, Madeleine et son mari eurent maintes fois recours à cet innocent stratagème qui vint joyeusement agrémenter leurs ébats amoureux.

♦ L'AMANT SANS VISAGE

Un autre fantasme sexuel fréquent est celui où l'on fait l'amour avec une personne qui nous est totalement inconnue. Alors que certaines personnes prêtent à ces amoureux fantasmatiques des traits, une physionomie bien précise, d'autres préfèrent qu'ils demeurent anonymes, sans visage. Dans les deux cas, l'engagement émotif est nul, ce qui sans doute explique l'attrait de ce type de fantasme. Il s'agit de sexe à l'état pur, sans liens gênants, sans explications et surtout, sans conséquences. Prenons si vous le voulez l'exemple de Tara, qui fantasmait fréquemment qu'elle se faisait prendre par un inconnu dans les toilettes d'un restaurant. Invariablement, l'inconnu arrivait par-derrière, se plaquait contre elle et posait sur sa nuque de brûlants baisers. Il faisait si sombre dans ces toilettes que Tara ne pouvait distinguer ses traits. Puis l'homme la faisait brusquement pivoter et, toujours avant qu'elle ne puisse voir son visage, il se mettait à l'embrasser sur la bouche, longuement, passionnément. Alors, dans son fantasme, elle entend un bruit. Quelqu'un arrive. Elle attire l'inconnu dans une cabine et verrouille derrière eux. Là, ils font l'amour debout tandis que des gens entrent et sortent des cabines avoisinantes. À tout moment, Tara et l'inconnu risquent d'être découverts; cela amplifie leur plaisir. Après qu'ils ont tous deux joui, l'inconnu embrasse Tara une dernière fois, puis disparaît. Elle remet de l'ordre dans sa tenue, s'assure qu'elle est présentable et retourne à sa table retrouver ses amis qui, bien sûr, ne se doutent de rien. Un jour, Tara a fait part de son fantasme à son amoureux. Celui-ci jugea la chose fort excitante. Depuis, lorsqu'ils vont au restaurant, il lui demande si elle compte visiter les toilettes et cela suffit à éveiller leur passion. Inutile de préciser que, la plupart du temps, ils se passent de dessert et rentrent précipitamment à la maison. Que voulez-vous: on ne fait pas attendre le désir.

L'amour vite fait: à couper le souffle.

étreinte sauvage, enflammée et surtout, sans attaches. L'heure n'est plus aux jeux de séduction ou aux mots doux. Le temps presse, c'est chacun pour soi. La devise du moment est: «Je m'occupe de mon plaisir et tu t'occupes du tien!» Si l'on veut comparer les deux approches, on pourrait dire que le rapport sexuel habituel, prolongé et amoureux, s'apparente à un somptueux repas gastronomique tandis que le coup rapide, lui, aurait plutôt un petit goût de *fast food*. Or, avouez que, parfois, il n'y a rien comme un bon hamburger que l'on dévore en vitesse! Bien sûr, rien ne peut remplacer l'amour lent et langoureux, avec tous les préliminaires, les sentiments, sans parler de la douce félicité que l'on ressent en son sillage. Il y a cependant de ces moments où l'on a qu'une envie, celle de baiser vite, furieusement et sans préambule. Ce type de rapports sexuels n'a d'ailleurs en soi rien de négatif, puisqu'il démontre à votre partenaire l'étendue du désir que vous éprouvez pour lui – vous le voulez ici et maintenant, à tout prix et faisant fi des conséquences. Un couple ne peut évidemment pas vivre que ce type de rapports sexuels. Mais ceux-ci ont leur place au sein d'une union amoureuse. Même qu'ils sont extrêmement excitants: leur caractère hâtif, cette formidable montée d'adrénaline qu'ils provoquent, la crainte d'être interrompus ou découverts, tout cela exacerbe le désir et la jouissance des partenaires. L'amour vite fait est en

L'amour vite fait est un bon moyen de renouer avec la passion féroce et débridée qu'a connue votre couple au tout début.

◖ L'AMOUR VITE FAIT

Bien des gens rêvent de faire l'amour dans un lieu public. Dans ce type de fantasme, bien souvent l'acte sexuel est à la fois bref et explosif. Tout préliminaire étant exclu, il s'agit d'un accouplement pur et simple, d'une

définitive un bon moyen de renouer avec la passion féroce et débridée du début. Car c'est bien à la naissance d'une idylle que la réponse sexuelle est la plus marquée. Ensuite, une fois la relation bien établie, l'émoi sexuel tend à céder le pas aux sentiments amoureux. En ce sens, l'amour vite fait renverse la vapeur en vous permettant de revivre ces élans spontanés, brusques et passionnés.

◈ LE TEMPS PRESSE

L'ingrédient essentiel du coup rapide est l'habillement. Comme vous n'aurez ni le temps, ni le loisir de vous dévêtir complètement, vous devez porter un vêtement qui vous permettra de libérer vos sexes aisément et en vitesse. Mesdames, laissez de côté le trop encombrant *body* en faveur d'une culotte légère ou d'un *string*. Mieux encore, ne portez aucun sous-vêtement. On peut évidemment tout planifier à l'avance avec son partenaire, mais l'un des deux peut aussi prendre l'autre par surprise. Le coup rapide est encore plus excitant lorsque le temps presse vraiment, à l'orée d'un moment critique – avant une soirée entre amis, par exemple, alors que vos invités risquent d'arriver d'un instant à l'autre. Ceux qui voudront prendre leur partenaire à l'improviste attendront le moment propice ; cela pourrait être à l'occasion d'une promenade sur la plage ou à la campagne, ou dans un endroit plus achalandé comme un bar, un musée ou un parking public. Saisissez soudainement votre partenaire par-derrière et chuchotez-lui que vous ne pouvez plus vous contenir, que si vous ne baisez pas là, tout de suite, il se pourrait bien que vous explosiez. Après cette fiévreuse déclaration, couvrez l'objet de votre désir de baisers goulus et passionnés, puis attaquez-vous sans plus tarder aux boutons et fermetures éclair. Relevez la jupe, faites béer la braguette, repousser *string* et slip juste assez pour dégager vos sexes. Sans plus attendre et toujours en gardant un œil aux aguets – il ne s'agit pas de se faire prendre ! –

Deux minutes d'intense bonheur.

À la maison, lequel de vous deux porte la culotte ?

baisez sauvagement, furieusement. Lorsque vous aurez fini, mettez de l'ordre dans votre tenue et retournez à vos activités précédentes comme si de rien n'était. Cet aspect clandestin du coup rapide est l'un de ses principaux attraits, comme si l'on défiait le monde entier de nous prendre en flagrant délit. Histoire de limiter les dégâts, utilisez un condom et gardez un mouchoir à portée de main afin d'éponger les fluides excédentaires. Et voilà ! Ni vus ni connus ! Rien ne vient trahir le fébrile et vif plaisir que vous venez de vous accorder, si ce n'est ce sourire béat sur vos visages.

Harold et Béatrice vivaient ensemble depuis un an. Or, cette dernière avait la nette impression que leur vie sexuelle commençait à décliner. Pourtant, Harold était un amant attentif et romantique qui aimait faire l'amour longuement, lentement. Le hic était que Béatrice ne pouvait cesser de songer à leur premier rapport sexuel. Cette nuit-là, ils avaient fait la fête chez des copains. Il était tard, ils étaient seuls sur le quai du métro qui allait ramener Béatrice chez elle. C'est en attendant ce métro qu'ils avaient fait la chose, debout derrière un pilier, au bout du quai. Bien

Le patron exige toujours obéissance.

Harold ! Béatrice et lui continuent d'avoir des rapports sexuels amoureux et langoureux, à la différence que ceux-ci sont maintenant entrecoupés de ces « coups rapides » qu'ils s'accordent de temps à autre. À tout dire, leur couple ne s'en porte que mieux.

◆ FAIRE ÇA À LA DURE

Bien des gens rêvent de relations sexuelles où ils auraient à appliquer une certaine mesure de force et de brutalité. Un tel fantasme est courant, ce qui est peu étonnant si on considère que, dans nos esprits, sexe et pouvoir sont inextricablement liés – ne dit-on pas qu'il n'est de plus grand aphrodisiaque que le pouvoir ? Difficile de ne pas y croire lorsque tant d'hommes riches et puissants, quoique affreusement laids, connaissent des succès amoureux foudroyants. Ce n'est pas par hasard que l'on dit d'un homme qui ne peut bander qu'il est « impuissant ». En fait, chez les femmes comme chez les hommes, la majorité des problèmes sexuels ont à leur origine un sentiment d'impuissance. Les personnes qui sentent que leur vie sexuelle leur

que l'incident n'ait pu durer plus de deux minutes, Béatrice se rappelait chaque seconde de ce coït qui l'avait laissée pantelante, son incroyable intensité. Il lui tardait de revivre ces instants magiques. Elle décida donc de prendre Harold par surprise. Un soir, ils prirent le métro pour rentrer à la maison et Béatrice, invoquant quelque prétexte, insista pour qu'ils descendent à cette même station qui avait été le théâtre de leur première relation sexuelle. Une fois sur le quai, elle prit la main de Harold et l'emmena à l'endroit précis où s'était déroulée la chose – tout au bout, derrière le pilier. « Tu te rappelles de ce que nous avons fait ici ? minauda-t-elle. Ça te dirait de recommencer ? » Et comment que ça lui disait, à

Sexe et pouvoir sont inextricablement liés. Ne dit-on pas qu'il n'est de plus grand aphrodisiaque que le pouvoir ?

échappe ont avant tout besoin de sentir qu'elles sont maîtres de la situation, qu'elles sont fortes et compétentes. Bref, ces gens ont besoin de rapports sexuels dans lesquels ils adopteront le rôle de dominateur. Dans ce genre de scénario, la personne dominée trouve elle aussi son compte puisque, en acceptant ce rôle, elle se déleste de toute responsabilité et peut donc complètement se laisser aller, se détendre. Tout couple devrait de temps à autre procéder à une permutation des rôles, c'est-à-dire laisser le partenaire qui assume habituellement un rôle passif prendre le contrôle des opérations et obliger celui qui d'ordinaire domine à obéir docilement.

Ce type de fantasme sexuel fait appel à divers objets et accessoires destinés à corser les choses : chaussures à talons aiguilles, fourrures, vêtements de caoutchouc moulants, etc. Quantité de gens fantasment de sexe brutal, de rapports qui leur occasionneraient une certaine douleur physique ; cela est dû au fait que le plaisir sexuel est une sensation très proche de la douleur. Même s'il ne vous intéresse nullement d'infliger ou de subir quelque sévice que ce soit durant l'acte sexuel, il est possible que, comme bien des gens, l'idée de rapports brutaux vous excite. Souvent, les personnes qui rêvent de se faire dominer se sentent mal à l'aise face à leurs propres désirs sexuels. La punition qu'elles imaginent alors tient lieu d'expiation et suffit généralement à

importants du scénario. Dans l'exemple qui suit, l'homme tiendra le rôle de l'employé et la femme, celui du patron.

Pour vos collègues, une autre rude journée de travail s'achève. Vous, par contre, ne pouvez quitter le bureau à cause d'un boulot urgent à terminer. La patronne, une femme coriace et très exigeante, ne tolère pas la moindre erreur. De fait, elle vous réprimande souvent ; vous ressentez en sa présence un mélange de crainte et de respect. Vous savez qu'au cours de la journée, encore, vous avez commis une bévue. Cela vous terrifie. Vous espérez que la patronne n'aura pas remarqué votre erreur ou qu'elle l'aura elle-même rectifiée. Cependant, en votre for intérieur, vous savez bien qu'il s'agit là d'un espoir vain. Vos craintes sont confirmées alors qu'elle fait irruption dans votre bureau, furieuse. Elle vous couvre d'injures, prétendant que l'erreur que vous avez commise est capitale et qu'il vous faudra payer très cher votre maladresse. Votre partenaire et vous pouvez soit improviser, soit composer au préalable le dialogue. La patronne pourrait par exemple dire : « Regarde-moi ce travail. Tout de travers ! Vous n'êtes vraiment pas bon à grand-

Elle le tient indéfiniment au bord de l'orgasme, presse le gland de son pénis entre le pouce et l'index dès qu'il fait mine de jouir.

supprimer ce sentiment de culpabilité qui les tenaille. Au chapitre 5, nous avons exploré les jeux de domination et les différents rapports maître/esclave. D'autres scénarios dans la même veine, quoique physiquement moins éprouvants, auront un impact émotionnel similaire. Le fantasme du « Patron et de l'employé » fait partie de ceux-là.

❧ OUI, PATRON !

La mise en scène de ce petit jeu fantasmatique est simple : vous n'avez qu'à convertir une pièce de votre domicile en bureau. Une chaise, un secrétaire, une lampe de bureau, quelques stylos, trombones et paperasses suffiront à créer l'illusion. Quant aux costumes, lui sera affublé d'un complet sobre avec chemise et cravate, elle d'un tailleur très classique accompagné de bas nylon (évitez les collants !) et d'un soutien-gorge *sexy*. Quoi que vous décidiez en ce sens, il est important que l'un de vous porte une cravate, une ceinture ou une écharpe ; ce sont là des éléments

chose, hein, mon vieux ? Mais où avez-vous donc la tête ? J'ai une de ces envies de vous foutre à la porte, moi ! » À cela, l'employé répliquerait : « Écoutez, je suis vraiment désolé. Laissez-moi arranger ça. Il me faut juste un peu de temps. » Il est suppliant, son ton en est un d'absolue servilité. Il veut désespérément se faire pardonner, néanmoins la patronne reste de glace. « Mais nous n'avons plus de temps, espèce d'imbécile ! Et puis, je vais réparer tout ça moi-même. Si vous croyez que je vais vous donner la chance de bousiller davantage ce dossier, vous rêvez, mon vieux ! Votre incompétence bat vraiment tous les records. À bien y penser, je vous laisse deux choix : soit vous emballez tout de suite vos affaires et disparaissez à tout jamais de ma vue, soit vous restez et acceptez la punition que vous méritez et que je brûle de vous infliger. » À ce moment, la patronne s'empare de la cravate de l'employé (ou défait l'écharpe qui est nouée autour de sa taille à elle) et l'utilise pour attacher celui-ci à son bureau ou à sa chaise. Une fois la chose faite, elle relève sa jupe, dénudant le haut de ses cuisses et exposant au regard de l'employé ébahi son sexe qu'aucune culotte ne couvre. Puis, elle glisse avec autorité une main dans le pantalon de l'employé et le tripote jusqu'à ce qu'il bande. Tout en continuant de le caresser, elle libère ses seins afin de l'exciter davantage. C'est une vraie allumeuse, elle se moque de lui, du désir évident qu'il a d'elle. « Tu voudrais bien me sucer les mamelons, hein, mon salaud ? Mais tu es si incompétent que je doute que tu saches comment t'y prendre. Comme d'habitude, je vais devoir te montrer comment faire. » L'employé la supplie alors de le détacher afin qu'il puisse lui montrer son savoir-faire. La patronne fait la sourde oreille, continue de l'humilier et de le tourmenter. Elle défait la braguette du pantalon de l'employé, s'accroupit sur lui et le chevauche tout en continuant à l'inventiver. « J'espère que tu t'y prends mieux avec ta bite qu'avec la paperasse. En tous cas, j'ai toujours pensé que t'étais un « bande mou ». Et je te défends de jouir avant que je ne t'en donne la permission ! Gare à toi sinon ! » Au bout d'un moment, la patronne détache son subalterne, mais aussitôt lui ordonne de lui lécher les pieds, puis de lui bouffer la chatte. Elle veut qu'il rampe comme un ver devant elle, qu'il lui obéisse au doigt et à l'œil. Lui, n'est qu'un moins que rien ; c'est elle qui commande. Elle le tient indéfiniment au bord de l'orgasme, presse le gland de son pénis entre le pouce et l'index dès qu'il fait mine de jouir. Par cette technique connue, elle amollit un peu son érection, retardant de ce fait le moment de l'éjaculation. Ensuite, elle continue d'abuser de lui, encore et encore, de l'exciter au maximum puis de répéter ce pincement du gland dès qu'il semble sur le point de jouir.

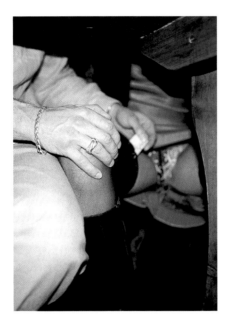

S'il vous paie, c'est que ça lui a fait plaisir.

◆ LES JOIES DE L'OBÉISSANCE

Bien des hommes aiment se faire mener à la baguette. Bob est un de ceux-là. Personnalité compulsive, il se devait de toujours tout contrôler. Lorsqu'il allait quelque part en voiture avec Linda, sa conjointe, il ne pouvait se résigner à ce qu'elle prît le volant, même s'ils se servaient de son véhicule à elle. Personne ne pouvait donner à Bob quelque conseil que ce soit, car selon lui, il en savait toujours plus long que quiconque. Linda était une femme d'affaires influente, mais elle s'était faite à l'idée de laisser Bob prendre toutes les décisions à la maison, histoire de conserver une certaine harmonie dans leur ménage. Puis, tout à coup, Bob commença à éprouver des problèmes érectiles. Au prix d'un effort pour lui surhumain, il consentit à consulter un thérapeute. Quelle ne fut sa surprise lorsque ce dernier lui conseilla de cesser de chercher à toujours tout contrôler ! Comme bien des hommes, Bob souffrait d'avoir à régler, à diriger chacun des aspects de son existence. Bien que cela fît partie de sa personnalité compulsive, la chose l'épuisait. Une fois ce diagnostic établi, le thérapeute conseilla au couple d'intervertir les rôles lors de leur prochain rapport sexuel : Linda prendrait les choses en main et Bob se laisserait mener. Un soir, Bob flânait tranquillement au salon lorsque Linda pénétra dans la pièce comme une furie. Elle se mit à l'inventiver copieusement avant de le déshabiller puis de le chevaucher sans sommation, faisant fi de ses protestations. À sa grande surprise, Bob constata qu'il n'avait aucune peine à bander ni à conserver son érection. Le couple vécut ce soir-là un épisode sexuel mémorable. Bien que Bob continuât d'assumer la charge dans sa vie professionnelle, il se montra dorénavant plus disposé à laisser à Linda le soin de prendre les décisions à la maison, et particulièrement au lit.

◆ VIOLE-MOI !

Par le fantasme, on peut injecter un peu de brutalité dans sa vie sexuelle sans pour autant infliger de douleur réelle. Ainsi, les fantasmes de viol sont très courants, tant chez les hommes que chez les femmes. Cela ne revient pas à dire que les personnes qui entretiennent de tels désirs veulent vraiment se faire violenter. Il y a en effet une énorme différence entre le viol réel et le viol fantasmé. Dans le premier cas, la personne violée n'a aucun contrôle de la situation ; elle subit l'acte, c'est une victime. Dans le second cas, il ne s'agit que d'un scénario, d'une construction de l'esprit. Des fantasmes de ce genre nous permettent de vivre des expériences que, par crainte, par culpabilité ou par pudeur, nous ne voudrions pas vivre dans la réalité. Lorsque quelqu'un nous oblige à faire une chose, nous perdons en quelque sorte la responsabilité de nos gestes, de nos actions. Le désir coupable devient dès lors acceptable, puisque hors de notre contrôle. N'allez cependant pas croire, je le répète, qu'une personne qui fantasme de se faire violer désire que la chose lui arrive réellement.

C'est un scénario fantasmatique de viol qui raviva la vie sexuelle de Claudine et de Mario. Tout au long de son enfance, la famille de ce dernier lui avait inculqué une vision assez négative du sexe, si bien qu'il éprouvait maintenant quelque difficulté à accepter ses désirs sexuels. Au lit, il se montrait généralement nerveux. Plus expérimentée, Claudine était beaucoup plus à l'aise que lui avec sa propre sexualité. Un soir, Mario lui raconta qu'il avait rêvé qu'elle le jetait brutalement sur le lit et le forçait à avoir des rapports sexuels avec elle. Mario avoua que ce rêve l'avait terrifié, mais aussi terriblement excité. Une semaine plus tard, à l'apogée d'une discussion enflammée, Claudine l'empoigna et le jeta violemment au sol. Elle lutta un moment avec lui avant de déchirer la fermeture éclair de son jean. Éberlué de ce qui lui arrivait, Mario n'en banda pas moins aussitôt. Claudine lui fit alors l'amour férocement, exactement comme dans le rêve. Depuis ce jour, ils s'efforcent de parler ouvertement de leurs fantasmes... et s'accordent le plaisir d'en vivre quelques-uns.

Payer confère une dimension obscène et licencieuse à l'acte sexuel.

♦ TOUTE BONNE CHOSE SE PAIE

Bien des gens sont excités à l'idée de payer pour une relation sexuelle. Ce fantasme représente une autre façon de contourner les sentiments de culpabilité que provoque le désir sexuel et de se libérer de ses inhibitions. En payant par jeu l'être aimé pour ses services, on lui signifie qu'il ou elle en vaut vraiment la peine. Il s'agit en fait d'un excellent moyen de redonner confiance à un partenaire qui doute de ses propres facultés sexuelles. Après tout, si on veut payer pour coucher avec lui, n'est-ce pas parce qu'il est désirable et que, de plus, il sait s'y prendre ? Faire l'amour avec lui constitue en effet un réel privilège. Dans ce fantasme, le rôle du partenaire qui paie a lui aussi ses avantages. Tout d'abord, il peut dire à l'autre que le client a toujours raison. Il a payé pour son plaisir, maintenant il va le prendre, un point c'est tout. Ce plaisir lui revenant de droit, il n'a pas à s'inquiéter de ce que l'autre désire : sans hésitation, il fait part à l'autre de ses exigences et s'attend à ce qu'elles soient satisfaites. Si tant d'hommes couchent avec des prostituées, c'est justement parce qu'avec elles ils obtiennent exactement ce qu'ils veulent, sans détour, sans avoir à séduire ou à se préoccuper des besoins de leur partenaire. Payer confère également une dimension obscène et licencieuse à l'acte sexuel, ce qui contribue généralement à enflammer les passions, à exacerber le désir. Il y a quelque chose d'à la fois sordide et délicieusement dépravé dans le fait de monnayer certaines faveurs sexuelles – surtout lorsque la chose se déroule dans le cadre d'un fantasme.

Le fantasme de prostitution nécessite quelques préparatifs. Tout d'abord, la tenue. Admettant que la femme joue le rôle de la prostituée, elle aura des vêtements moulants très révélateurs quoique d'assez mauvais goût. Elle pourra par exemple s'attifer d'une jupe très courte et de bas de lycra. Son maquillage doit être vulgaire et excessif. Par contre, si c'est monsieur qui brûle de se retrouver dans la peau d'un gigolo, il por-

Du moment que la chose est payée, vous pouvez tous deux vous laisser aller, sans gêne et sans honte.

tera soit un short moulant, soit un jean très ajusté accompagné d'un *t-shirt* ou d'une chemise qu'il laissera déboutonnée. Dans le cas d'un couple gay, le pantalon du partenaire jouant le rôle du professionnel pourrait être déchiré aux genoux. En effet, dans le milieu de la prostitution mâle, un jean ainsi déchiré a valeur symbolique : il signifie que le prostitué se spécialise dans le sexe oral – raison pour laquelle les genoux soi-disant s'usent avant le reste du pantalon. Bien des gens croient que la prostitution mâle s'adresse uniquement à une clientèle homosexuelle. En vérité, bon nombre de femmes paient des partenaires masculins pour coucher avec elles. L'homme ne doit donc pas hésiter à jouer le rôle du prostitué ni la femme celui de sa cliente. Cela dit, dans le scénario de fantasme qui suit, la femme jouera la prostituée et l'homme, son client. À vous de permuter ces rôles si le cœur vous en dit.

D'entrée de jeu, le client est un peu nerveux. La fille de joie, elle, semble cynique et blasée. Elle en a vu de toutes les sortes au cours de sa carrière. Rien ne peut plus la surprendre ni la choquer. À la fois excité et déterminé, le client aborde la prostituée. « Êtes-vous disponible ? » lui demande-t-il. « Ça dépend, répond-elle. Qu'est-ce que tu cherches ? » À ce moment, le client peut spécifiquement exprimer la nature de son envie sexuelle. Peut-être désire-t-il tirer un coup rapide, prendre sa partenaire précipitamment, debout au fond de quelque sombre ruelle. Peut-être veut-il simplement qu'elle lui fasse une pipe ou qu'elle le branle gentiment. Certains clients demanderont la totale, c'est-à-dire sexe oral, anal et vaginal. S'il le désire, le client peut rester passif et laisser la prostituée faire tout le travail ; il peut tout aussi bien exiger de cette dernière qu'elle demeure parfaitement immobile et inerte tandis que lui prend son plaisir. Son choix pourra également s'arrêter sur une relation plus intime et amoureuse, en quel cas il spécifiera néanmoins où et comment il veut être caressé. La prostituée est libre de parlementer avec le client. Si ce dernier a envie d'une chose qu'elle ne veut pas faire, elle peut lui proposer un service différent. Quel que soit le vœu du client, la prostituée répondra : « Ça va te coûter cher, ça, chéri ! » Ils conviendront ensuite d'un prix. Par souci d'authenticité, la fille peut exiger de son client qu'il porte un condom et renégocier le prix à la hausse si celui-ci refuse d'en porter un. Une fois les pourparlers terminés, le client sort ses billets et paie le montant convenu. Dès lors, la prostituée s'efforce de lui en donner pour son argent. Pour ajouter un peu de piquant au fantasme, utilisez de vrais billets : une fois la transaction terminée, votre partenaire pourra se récompenser d'un boulot bien fait en allant s'acheter un petit quelque chose.

Il y a longtemps que Danielle voulait sucer Craig, son mari. Cependant, étant issus de familles strictes qui considéraient le sexe comme une chose taboue, ni l'un ni l'autre n'osaient aborder ouvertement le sujet. Le sexe oral ne faisait pas partie de leur répertoire sexuel, pourtant Danielle était persuadée que Craig convoitait secrètement la chose. Un jour, elle lui suggéra un jeu où elle serait la prostituée et lui, le client. De prime abord, Craig se montra peu réceptif à l'idée, mais son épouse sut se montrer convaincante. Elle lui promit que, quelle que soit sa requête, elle ne s'offusquerait pas ni ne le jugerait – même qu'elle s'exécuterait sans rechigner, avec joie. Bref, elle lui ferait tout ce qu'il voudrait. Craig finit par consentir et, comme de fait, demanda à Danielle de lui faire une pipe. À ce moment, si Craig n'avait été cet anonyme client et Danielle cette professionnelle, ils auraient été si embarrassés que les choses en seraient sans doute restées là. Mais ce jour-là, grâce à ce fantasme, Craig

sut enfin ce que c'est que de se faire sucer et Danielle fit la chose pour la première fois. Sans doute n'était-ce pas la plus fabuleuse des pipes, néanmoins la glace était brisée et tous deux en éprouvèrent un franc soulagement. Par la suite, ils purent parler sexe plus ouvertement et leur vie amoureuse s'en trouva largement bonifiée.

◆ VOLUPTÉ VIRGINALE

Bien des gens rêvent de faire l'amour à un partenaire vierge. De fait, il s'agit d'un fantasme très courant. Lors d'un tel scénario, l'un de vous, prétendant qu'il est puceau ou pucelle, pourrait activement chercher à se faire initier aux plaisirs de la chair par l'autre. Inversement, la personne vierge pourrait, au lieu d'être l'instigateur, se laisser séduire par un homme ou une femme d'expérience. Dans le premier cas, celui qui tiendra le rôle de l'initiateur ne pourra qu'être flatté d'être sollicité ainsi, ce qui démontre à quel point l'autre estime son savoir et son expérience. Dans le second cas, le partenaire qui adoptera le rôle de la personne vierge jugera gratifiant que l'autre s'intéresse à lui au point de vouloir l'initier, guider ses premiers pas dans la sexualité. De quelque façon que vous le meniez, ce fantasme ne pourra que vous donner une plus haute estime de vous-même.

Qui ne se rappelle pas le trouble, mais aussi l'incroyable excitation ressentie lors de son premier rapport sexuel ? Il faut dire que l'événement était généralement précédé d'une foule d'expériences sensuelles adolescentes. On se tenait par la main pour ensuite passer à l'étape des baisers furtifs et, finalement, à celle des pelotages plus poussés. Chacune de ces étapes était accompagnée d'une vertigineuse incertitude, d'une sensation à la fois déconcertante et délectable composée en égales parties d'impétuosité, de curiosité et de terreur. Rappelez-vous la course folle de votre pouls, votre estomac qui se nouait, ce mélange explosif d'adrénaline et d'hormones qui vous plongeait dans un état d'intense excitation, de fébrilité. Par l'entremise du fantasme, il est possible de revivre ces émotions. Celui ou celle qui adoptera le rôle de la personne expérimentée vivra également ici de vifs émois. Encore aujourd'hui, dépuceler quelqu'un est perçu comme un privilège, mais aussi comme un acte incroyablement excitant. Et vous, comment réagiriez-vous à l'idée que vous êtes le premier homme ou la première femme d'un partenaire vierge ? Explorez la chose grâce à ce scénario fantasmatique.

Pour la majorité
des adolescents, le
premier rapport
sexuel est générale-
ment précédé d'une
foule d'expériences
sensuelles à la fois
déconcertantes
et délectables com-
posées en égales
parties d'impétuosité,
de curiosité et
de terreur.

Il faut d'abord que vous conveniez du rôle de cha-cun. Ensuite, déterminez qui sera l'instigateur et qui sera la personne séduite. À titre d'exemple, la femme aura ici le rôle de la vierge tandis que l'homme sera à la fois la personne expérimentée et le séducteur. N'oubliez pas cependant que l'inverse est également possible : il est tout aussi excitant que ce soit l'homme qui joue les jeunes puceaux et la femme, l'initiatrice qui fera de lui un homme. Notre vierge est une jeune étudiante qui, poussée par son désir naissant et par une curiosité toute naturelle, a déjà goûté aux plaisirs de la masturbation. Forte de cette exploration personnelle et intime, elle se sent prête à vivre des rapports sexuels plus poussés en compagnie d'un partenaire. Elle a tenté certaines expériences avec des garçons de son âge mais, invariablement, ceux-ci lui ont paru peu inspirants et maladroits. Tout au long de son adolescence, elle avait entretenu des désirs disparates qui avaient tantôt pour objet quelque jeune vedette de cinéma, tantôt quelque *sexy* mais inatteignable *pop star*. Récemment, cependant, ses désirs s'étaient tournés vers une personne beaucoup plus proche d'elle, un copain de son frère aîné que nous nommerons ici « l'ami ». L'ami vient souvent chez elle. Lors de ces visites, il l'a souvent entrevue. Toutefois, la devançant de quelques années, il ne lui avait jamais porté une attention particulière. Aujourd'hui, encore une fois, l'ami se rend chez la vierge ; et, comme d'habitude, son seul motif est de visiter son copain.

Idéalement, ce scénario de fantasme se déroulera dans votre salon. La mise en scène devant refléter le fait qu'il s'agit de la résidence de la vierge, vous disposerez sur la table à café des accessoires appropriés : canette de boisson gazeuse, manuels scolaires, magazines d'ados, etc. Syntonisez radio ou télévision au genre d'émission qu'écouterait un adolescent. Côté habillement, la vierge sera vêtue de son uniforme scolaire, soit jupe grise ou à carreaux, veston assorti et chemise blanche accompagnée d'un nœud ou d'une courte cravate.

♣ LA PREMIÈRE FOIS

Et maintenant, le scénario. La vierge rentre chez elle après l'école. Elle est seule dans la maison vide. Elle s'installe à la table du salon pour faire tranquillement ses devoirs. Au bout d'un moment, on sonne à la porte. Elle ouvre. C'est l'ami de son frère, celui qui, depuis quelque temps, occupe l'essentiel de ses rêves romantiques. Son frère n'est pas là, lui dit-elle, néanmoins elle l'invite à l'attendre à l'intérieur.

Pourtant, elle sait fort bien que ni son frère aîné ni le reste de la famille ne sont sur le point de rentrer à la maison. La vierge sera enfin seule avec l'objet de son désir. Elle se sent très excitée, un peu troublée. Elle l'invite à s'asseoir au salon et lui offre quelque chose à boire. Lorsqu'elle revient de la cuisine avec la boisson demandée, elle s'installe sur le sofa, tout près de l'ami qui ne se formalise pas outre mesure d'une telle proximité. D'ailleurs, pourquoi s'offusquerait-il ? L'ami s'est toujours montré fort sociable. La vierge bavarde avec lui, se frotte discrètement contre lui, caresse ses cheveux. L'ami la laisse faire, flatté malgré tout, en dépit des années qui les séparent, que cette jolie et nubile jeune femme lui prodigue tant d'attentions. Mais il ne laisse pas cela le décontenancer ; il continue de converser calmement avec la vierge, lui demandant comment vont ses études, quel genre de carrière elle projette d'embrasser, etc. Soudain, il ramasse une revue d'ados qui traînait sur la table à café et se met à la feuilleter. À sa grande surprise, il découvre bientôt que quelqu'un, de toute évidence la vierge, a glissé des images érotiques entre ses pages. « Alors, c'est ça que tu étudies maintenant à l'école ? demande l'ami. Mais, dis-moi, c'est que de la théorie ou est-ce que vous en êtes déjà à la pratique ? » Toutes ces questions détendent l'atmosphère, si bien que, peu à peu, une chaude intimité se tisse entre la vierge et l'ami. Il faut dire que l'attitude bon enfant de ce dernier contribue largement à cela. Lorsque le moment semble propice, l'ami dit en rigolant que toute cette conversation lui a donné soif. Il s'empare alors de son verre et renverse « accidentellement » son contenu sur l'uniforme de la vierge. « Je suis vraiment désolé, dit-il, faussement contrit. Je suis si maladroit ! Bon, allez, enlève ça tout de suite. Il faut vite nettoyer ces vêtements, sinon ils resteront tachés. Je ne voudrais pas que tu te fasses gronder par ma faute. » Alliant le geste à la parole, l'ami débarrasse la vierge de son veston, puis de sa chemise. La voilà dénudée jusqu'à la taille. Ils sont tout près l'un de l'autre, si près que leurs souffles se mêlent. L'ami comble la distance qui sépare leurs bouches et embrasse la vierge longuement, langoureusement. Puis l'ami demande : « Qu'est-ce que tu dirais de quelques leçons privées, histoire de prendre un peu d'avance sur tes compagnes de classe ? » La vierge est une bonne élève. Elle consent. L'ami entreprend dès lors de l'initier aux joies charnelles de l'amour.

Un miroir, un peu d'imagination, et voilà : vous multipliez les partenaires !

par ce jeu, vous souviendrez-vous soudain avec plus d'acuité de votre première expérience sexuelle. Peut-être évoquera-t-il une position, un son, un vêtement, un toucher depuis longtemps oublié. Parfois, un simple effort de la pensée ne suffit pas à ranimer un souvenir ; il faut alors reconstituer les événements, poser de nouveau les gestes liés à ce passé qui est enfoui dans notre mémoire. Le scénario que je vous ai présenté ici n'est en définitive qu'une suggestion. Réfléchissez aux circonstances dans lesquelles vous avez perdu votre virginité ; songez à l'expérience elle-même. Discutez-en ensuite avec votre partenaire, échangez vos souvenirs de cette première fois et élaborez à partir d'eux un scénario qui vous est propre. Par exemple, quantité de gens ont eu leur première expérience sexuelle sur la banquette arrière d'une voiture. Si cela a été le cas pour vous ou pour votre partenaire, n'hésitez pas : sautez dans votre bagnole, allez vous garer dans un coin tranquille, étendez-vous à l'arrière et allez-y à plein régime !

Bien des gens aiment imaginer qu'une tierce personne les observe avec intérêt pendant qu'ils font l'amour à leur partenaire. Nous avons tous en nous un petit côté exhibitionniste que ce fantasme vient délicieusement titiller.

Ce scénario de fantasme vous permettra de renouer avec la fièvre des premiers instants où vous avez découvert l'amour et ravivera la passion que vous éprouvez envers votre partenaire. Peut-être,

❧ MÉNAGE À TROIS... OU QUATRE

Qui n'a jamais songé à ce que cela serait que d'être au lit avec plus d'un partenaire à la fois ? L'amour à trois, à quatre ou en groupe est un fantasme très courant. Parfois, on imagine que tous les partenaires sont du sexe opposé, mais il arrive tout aussi fréquemment que l'on rêve d'un mélange plus bigarré. Plus qu'une simple promesse de festin charnel, ce fantasme constitue une réelle bénédiction pour l'amour-propre de la personne qui l'évoque : faisant d'elle-même l'objet de multiples convoitises, elle ne s'en sentira que plus désirable. Bien des gens aiment imaginer qu'une tierce personne les observe avec intérêt pendant qu'ils font l'amour à leur partenaire, quelqu'un qui épierait leur moindre mouvement et applaudirait leur savoir-faire. Nous avons tous en nous un petit côté exhibitionniste que ce fantasme vient délicieusement titiller. S'imaginer au lit avec un partenaire supplémentaire du même sexe que soi peut être l'expression d'un féroce esprit de compétition. Cela peut également signifier que nous aimerions bien avoir quelqu'un pour nous seconder ou pour nous confirmer l'efficacité et le bien-fondé de nos pratiques sexuelles. Les personnes qui rêvent de coucher avec plusieurs partenaires du sexe opposé, quant à elles, estiment leur appétit sexuel tel qu'il ne peut être comblé par un seul partenaire. Ce fantasme est très flatteur, puisqu'il suppose chez celui ou celle qui l'entretient a des facultés sexuelles hors du commun.

Quoi qu'il en soit, il peut être très excitant d'imaginer qu'une autre personne se trouve à vos côtés lorsque votre partenaire et vous faites l'amour. Soyez averti cependant que, du fantasme à la réalité, il y a une marge. En faisant réellement l'amour avec plus d'un partenaire à la fois, on s'expose bien sûr aux MTS, mais aussi à toutes sortes de complications d'ordre relationnel et émotionnel. Trop souvent, dans la pratique, le ménage à trois se solde par une rupture. Un des partenaires juge le nouvel élément plus apte à répondre à ses besoins sexuels ou émotifs, et donc plaque la personne avec qui il était, en faveur de l'autre. Si l'infidélité imaginée n'est que jeu de l'esprit, dans la réalité, il s'agit purement et simplement d'une trahison. Croyez-moi, il vaut mieux s'en tenir ici

Imaginez que plusieurs partenaires se joignent à vous.

au fantasme : il ne présente aucun des inconvénients d'un vrai ménage à trois.

Il existe un moyen tout simple de créer l'illusion que l'on fait l'amour à plusieurs. Il s'agit tout simplement de disposer, dans votre chambre, dans la salle de bain ou au salon, autant de grands miroirs que vous le pouvez. Appuyez ceux-ci contre les murs de la pièce choisie ou sur les bords et montants du lit de façon que vos ébats s'y reflètent. Si vous ne disposez d'aucun miroir, vous pouvez bander vos yeux et ceux de votre partenaire à l'aide d'un bandeau, d'une cravate ou d'un foulard et ce seront alors pouvoir de suggestion et sensations tactiles qui donneront l'impression de partenaires multiples.

Éteignez l'éclairage électrique en faveur de quelques bougies. Pour que l'illusion soit parfaite, l'éclairage se doit d'être tamisé. Choisissez une ambiance musicale qui ne soit pas qu'instrumentale ; d'autres voix que la vôtre et celle de votre partenaire doivent résonner dans la pièce. Maintenant que tout est en place, allez chercher votre partenaire et dites-lui : « Viens dans la chambre avec moi, je voudrais te présenter des gens très sympa. Je crois bien qu'ils ont envie de faire l'amour avec nous ce soir. » Suivant ce préambule, bandez-lui les yeux et guidez-le jusqu'à la chambre à coucher.

Une fois là, commencez à l'embrasser, à le caresser et à le déshabiller, de préférence devant un des miroirs. Dites-lui : « Tu sens ces mains ? Ce ne sont pas les miennes, mais celles de nos amis. » S'il y a un miroir dans la pièce, retirez le bandeau pour que votre partenaire puisse y apercevoir vos reflets dans la pénombre. Si vous n'avez pas de miroir, les yeux de l'autre resteront alors bandés. Tout au long du scénario, commentez les faits et gestes des partenaires imaginaires qui sont censés être là avec vous dans la pièce. « Il y a celui-là qui te caresse la poitrine. Maintenant, une fille se frotte à moi. Je la masturbe et je crois bien que l'autre type a envie de faire pareil avec toi. Voilà, elle jouit déjà. Tu l'entends ? » Pour que l'illusion soit parfaite, il est essentiel que votre partenaire éprouve des sensations tactiles variées. À cet effet, un choix judicieux d'accessoires – vibromasseur, plume d'oiseau, étoffe de soie – donnera l'impression de touchers diffé-

En se donnant en spectacle, on peut satisfaire ses penchants exhibitionnistes.

rents administrés par plus d'un partenaire. Si vous voulez vraiment brouiller les cartes, parfumez-vous avec une fragrance autre que celle que vous employez habituellement. L'une des façons d'identifier l'être aimé est par son odeur – ou, plus précisément, par l'odeur de son parfum, de sa lotion après-rasage, de son savon ou de son dentifrice. Changeant ainsi ce parfum qui lui est si familier, vous plongerez votre partenaire dans une délicieuse incertitude. Vous pouvez également répandre d'autres essences çà et là dans la pièce, toujours dans le but de donner corps à ces partenaires imaginaires.

♦ LES AMANTS IMAGINAIRES

Depuis qu'il avait vu la chose dans un film porno, Guy rêvait de ménage à trois. L'idée emballait cependant peu Julie, sa partenaire du moment. Or, Guy était fou amoureux d'elle. Non seulement ne voulait-il pas la brusquer, il n'était pas du tout certain qu'il désirait la partager avec une autre personne. Pleine de ressources, Julie proposa qu'ils tentent le coup, mais en fantasme. Ne voyant pas quel intérêt pouvait bien avoir un tel exercice, Guy se montra tout d'abord sceptique, mais l'idée finit par l'intriguer, si bien qu'il consentit à se prêter à cette expérience. Un soir, alors qu'ils étaient au lit, la chambre plongée dans une obscurité totale, Julie annonça à son amoureux qu'elle avait donné la clé de leur domicile à un couple d'amis. Elle disait que ceux-ci avaient promis qu'ils leur rendraient visite. En fait, ajouta Julie, ils étaient sur le point d'arriver et de les rejoindre dans la chambre. Tandis qu'elle faisait l'amour avec Guy, elle continua son histoire, disant qu'elle les entendait monter à l'étage pour se joindre à eux. Ils firent l'amour si passionnément ce soir-là qu'au matin, Guy n'aurait su dire si tout cela n'avait été qu'un rêve ou si ce couple les avait vraiment visités. Quelle ne fut pas sa surprise lorsqu'il trouva, traînant négligemment sur le plancher de la chambre, un slip d'homme qui n'était pas le sien et une culotte de femme qui, elle non plus, n'appartenait manifestement pas à Julie. Il s'agissait bien entendu d'une astucieuse mise en scène de cette dernière, néanmoins ni l'un ni l'autre ne pouvaient nier qu'ils venaient de vivre une de leurs plus folles nuits d'amour. Ils s'accordèrent ensuite tous deux à dire qu'ils ne voulaient vivre l'expérience qu'en fantasme, mais aussi que, définitivement, le scénario méritait d'être répété.

♠ QUE LE SPECTACLE COMMENCE !

L'une des fascinations de l'orgie est qu'elle satisfait à la fois nos tendances voyeuristes et exhibitionnistes. Hommes et femmes ont de ces fantasmes où ils regardent des couples qui copulent et où ils se font eux-mêmes observer pendant qu'ils font l'amour. Certains iront même jusqu'à imaginer qu'ils participent à une expérience en laboratoire et que des chercheurs observent et mesurent avec exactitude leur mæstria sexuelle. D'autres encore se figurent tout un auditoire applaudissant à tout rompre le spectacle de leurs ébats. Ce type de fantasme est bien souvent lié à une foncière insécurité face à nos propres capacités et compétences sexuelles. Chacun de nous aime se targuer d'être un expert du sexe mais, au fond de nous-mêmes, nous sommes plus souvent qu'autrement convaincus du contraire. Se voir en tête d'affiche d'un spectacle érotique constitue un moyen efficace de contrecarrer ces incertitudes. Imaginez-vous devant un public attentif et admiratif. Imaginez que ces spectateurs sollicitent vos conseils, cherchent à apprendre vos techniques. Il est plaisant de se représenter ainsi, porté aux nues par des fans que vos prouesses sexuelles ébahissent. À force de fantasmer qu'une foule de gens vous admirent, vous envient et cherchent à vous imiter, vous cesserez tôt ou tard de douter de votre potentiel sexuel et en viendrez à vous apprécier à votre juste mesure.

C'est dans la chambre à coucher ou au salon que vous mettrez ce fantasme en scène. L'espace scénique peut être délimité par votre lit ou, tout simplement, par un tapis. Tamisez l'éclairage ambiant et braquez ensuite une unique source lumineuse, plus forte celle-là, directement sur la scène. Cette lumière doit donner l'impression que vous êtes sous les feux de la rampe, éclairés par un projecteur. Quant à l'ambiance sonore, optez pour une musique au rythme endiablé qui vous poussera à donner sur les planches le meilleur de vous-même. Il est maintenant temps de vous préparer. Maquillez-vous comme de véritables artistes de la scène. Saupoudrez sur vos corps, y compris sur vos parties géni-

Il n'y a pas de mal à s'accorder un petit fantasme.

tales, une poudre cosmétique brillante qui collera à votre peau. Habillez-vous de simples *strings* agrémentés d'accessoires vestimentaires que vous pourrez aisément retirer. Comme tout interprète, vous avez le trac avant d'entrer en scène, ces angoisses sont cependant atténuées par une solide assurance professionnelle : figurant parmi les meilleurs, vous ne pouvez prétendre ignorer votre propre valeur. L'accueil que vous réservera votre public sera comme toujours chaleureux… et vous aller leur en mettre plein la vue !

Par son intensité, la musique annonce l'arrivée de votre couple sur scène. Vous ajustez vos costumes, procédez aux dernières retouches de votre maquillage, puis vous faites votre entrée. Sous la lumière des projecteurs, vous êtes tous deux sublimes, radieux. Vous exécutez quelques pas de danse, puis commencez à vous déshabiller l'un l'autre, lentement, sensuellement. Une fois nus, vous vous badigeonnez d'huile de massage de la tête aux pieds. Vos gestes lents exsudent la sensualité. Imaginez la foule en délire saluant vos caresses les plus osées. Finalement, vous faites l'amour sur scène, sous le regard de tous. Chacun de vos mouvements est théâtral, amplifié : vous ne voulez pas que les spectateurs qui occupent les derniers sièges, tout au fond de la salle, en perdent un brin ; vous savez qu'ils ont payé le prix fort pour voir votre tandem à l'œuvre. Après le grand dénouement, vous quittez la scène et, à la faveur des coulisses, vous vous félicitez mutuellement, avec force embrassades, de votre performance.

Il n'en tient qu'à vous de choisir le thème du spectacle que vous présenterez à votre public imaginaire. Ceux qui ont un penchant pour le macabre pourraient élaborer un scénario vampirique où l'un incarnerait Dracula et l'autre son innocente victime. Vous pouvez également incarner deux gladiateurs qui luttent dans l'arène. Si vous le désirez, amorcez la représentation en solo, l'un de vous faisant figure d'auditoire ; à un moment du spectacle, l'artiste invitera une personne de la salle – son partenaire – à se joindre à elle ou à lui. Quoi que vous décidiez, il serait bon que vous enregistriez la bande sonore d'une émission ou d'un spectacle diffusé à la télévision, puis que vous la fassiez jouer à l'occasion de votre spectacle. Vous verrez que les cris, les réactions et acclamations de ce public enregistré viendront agréablement ponctuer vos propres prouesses érotiques.

♦ MERVEILLEUSES CHIMÈRES

On peut également avoir recours au fantasme sexuel dans le but de se familiariser avec certaines pratiques inusitées ou qui nous sont inhabituelles. Le sexe oral est chose courante, pourtant certaines personnes s'abstiennent de le pratiquer parce qu'elles craignent de ne pas aimer le goût ou l'odeur du sexe de leur partenaire. Ces personnes peuvent « répéter » cet acte en pensée, c'est-à-dire fantasmer qu'elles font la chose et qu'elles s'en délectent. Bien des gens fantasment de rapports sexuels avec des animaux. Quoique singuliers, les fantasmes de zoophilie n'en sont pas moins fréquents et mettent en évidence l'avantage principal du fantasme : nous permettre de rêver d'une pratique sexuelle qui, au fond, ne nous dirait rien dans la réalité. Les rêves de sexe avec une autre espèce ne se cantonnent pas au règne animal. Les amateurs de science-fiction aiment bien fantasmer d'amours extraterrestres, s'imaginant entre les bras de quelque fascinante créature venue d'une autre planète. Si étranges qu'ils paraissent, ces rêves érotiques ont néanmoins leur raison d'être : du fait que leur objet n'a pas forme humaine, ils nous dégagent de toute contrainte et de tout sentiment de culpabilité face à notre désir sexuel.

J'espère que vous êtes maintenant convaincus que fantasmer est une activité courante, normale, à la fois inoffensive et agréable. Cela dit, il faut prendre garde de ne pas traiter le fantasme comme un exutoire, comme un moyen d'éviter d'avoir à faire face à un problème concret. Toute personne qui ne peut avoir de relations sexuelles que par le truchement du fantasme devrait définitivement consulter un thérapeute. Avant tout, le fantasme doit être considéré comme un jeu plaisant et inoffensif, une joyeuse épice dont on se servira judicieusement pour agrémenter son habituel menu sexuel.

♦ LE MOT DE LA FIN

Tout au long de cet ouvrage, je me suis efforcée de vous communiquer ce côté amusant et même farfelu du sexe. J'espère qu'il aura contribué à vous libérer de certaines de vos inhibitions, que les idées et principes qui y sont exposés viendront agréablement pimenter votre vie sexuelle. N'oubliez pas surtout que passion, romantisme, sexe et désir sont le ciment de toute relation amoureuse. Même si votre partenaire et vous êtes ensemble depuis plusieurs années, continuez de flirter avec lui, montrez-lui que vous avez toujours le béguin pour elle ou pour lui. L'objectif premier de cet ouvrage était de vous démontrer que passion et désir peuvent subsister au passage du temps, qu'il est de votre privilège et de votre devoir de les cultiver et d'en jouir à loisir. Le tout est de réaliser que la connaissance sexuelle n'est pas innée. Nous sommes bien sûr venus au monde avec le désir, la volonté de commettre l'acte sexuel, mais les moyens et techniques utilisées pour se donner soi-même du plaisir et pour en donner à un partenaire relèvent du domaine de l'apprentissage. Toute personne, tout couple aspirant à une vie amoureuse excitante et satisfaisante devra faire un effort conscient et s'appliquer à assidûment explorer ce fascinant univers qu'est celui de la sexualité. Pour le couple, cette exploration se fera idéalement de concert, chacun encourageant et épaulant l'autre. Et n'allez surtout pas croire que pareille quête est l'apanage de quelques élus aux libidos surhumaines ou à l'esprit formidablement éclairé ! Une fois que l'on a réalisé que le sexe est une chose bonne et normale, tout vient très aisément.

De votre vie amoureuse, vous êtes l'expert par excellence. Personne ne saurait déterminer mieux que vous ce dont vous avez besoin, ce qui est bon pour vous. Cela dit, avant de plonger dans les profondeurs de votre Moi sexuel, il est essentiel que vous ayez confiance en vous-même et en vos propres capacités. Cette confiance, seule la connaissance peut vous la donner. Or, cet ouvrage s'est employé à vous communiquer pareille connaissance. Maintenant, la balle est dans votre camp. Quoi que vous fassiez après avoir lu ce livre, que vous goûtiez aux plaisirs déchaînés des jeux de domination ou que vous vous contentiez d'allumer quelques bougies avant de procéder à quelque sensuel massage, l'important est que vous viviez enfin la vie sexuelle dont vous avez toujours rêvé. Allez-y, amusez-vous ! Vous le méritez.

Achevé d'imprimer au Canada
en avril 2002
sur les presses de l'imprimerie Interglobe Inc.